DE MENSEN ROND JURRIEN BEEKMAN

Van Anke de Graaf verscheen ook:

Tussen twijfel en zekerheid
Plannen voor de toekomst
Als de tijd wegvalt
Elsjes leven

Anke de Graaf

De mensen rond
Jurrien Beekman

Spiegelserie

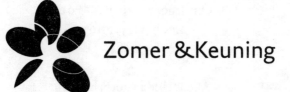

Zomer &Keuning

©2007 Zomer & Keuning familieromans, Kampen
www.spiegelserie.nl
Omslagontwerp: Bas Mazur
ISBN 9789059771673
NUR 344

1

EVELINE WELKERS KEEK NAAR HAAR BROER DIE OP DE BANK ZAT, DE krant van die dag wijduit in zijn handen. Ze vroeg: 'Wil je weten van wie ik jou de groeten met doen?'

'Ik heb geen interesse. De groeten; wat heb ik aan groeten? Ik kan ze niet zien en niet vastpakken en...'

'Al goed, stil maar. Niet dus.'Eveline boog zich weer over de Libelle. Ze prevelde zachtjes, maar wel zo dat Hans het kon horen: 'Wel jammer, nu houd ik het bij me...'

Hans grijnsde. 'Is het een "hij" of een "zij"? Als het een "hij" is hoeft het niet. In een "zij" ben ik wel geïnteresseerd.'

Martha Welkers, de moeder van het tweetal stond in de keuken en luisterde met een lachje naar het "domme geklets", zoals zij het noemde. Dit soort gesprekjes was een spelletje tussen broer en zus. Toen ze klein waren kibbelden ze soms tot slaan toe, vooral Eveline wapperde snel met haar handjes. Klein, opstandig kattenkopje. Later werd het meer uitdagen, sarren, maar nu ze volwassen waren speelden ze de gegevens op deze wijze uit. Martha wist dat ze er allebei stilletjes plezier in hadden.

'Het is een "hij".'

'Ik heb geen interesse.'

'Gesprek beëindigd wegen gebrek aan belangstelling voor het toch belangrijke onderwerp,' zei Eveline op een plechtig toontje, daarop riep ze direct naar haar moeder in de keuken: 'Mam, ik lees hier... Wacht ik kom naar je toe, jij houdt niet van geschreeuw en je kunt niet bij de sudderlapjes vandaan...'

Ze stond op. Hans lachte naar haar. 'Zeg toch maar wie het is. Ik ben nieuwsgierig.'

Eveline ging weer zitten. 'Jurrien Beekman. Jenny en ik zijn vanmiddag in "De Woonwinkel" geweest.'

'Daar werkt Jurrien. Hij is meestal niet in de winkel. Hij werkt ach-

ter de schermen, maar misschien wilde hij vanmiddag het eindresultaat van zijn ontwerp zien: hoe staat de blauwe pot naast de grijze pot? En wie zag hij daar tussen de gordijnen en kussens: Evelientje Welkers! En naast haar een nog leuker meisje, Jenny Stevens!'
'Zo zal Jurrien ons gezien hebben.' Eveline knikte instemmend.
Ze stond weer op en liep nu in de richting van de keuken. 'Hij zei: "Dag Eveline, dag meisje dat ik niet ken... Doe mijn groeten aan Hans."'
Ze was in de keuken. 'Mam, ik lees hier...'
Hans was ook opgestaan en naar de keuken gelopen. 'Hoe lang kennen Jurrien Beekman en ik elkaar? Toen we kleine jongetjes waren woonde de familie Beekman ook in de Borgerlaan. Twee huizen van ons af. Waar nu de Steensma's wonen. We speelden veel met elkaar. Racen op fietsjes, voetballen op het grasveld... Echte buurjongetjes. Jurrien is twee jaar ouder dan ik. Maar ik deed altijd dapper me en ik liet me niet op mijn kop zitten. Samen naar de lagere school. Hij zat twee klassen hoger. Op die school hadden we elk onze eigen vriendjes, maar als één van de twee het even niet leuk vond in dat groepje maakte hij een overstapje naar de andere groep en daar kon hij zich altijd bij voegen, want Jurrien en Hans hoorden bij elkaar. Toen ik in de tweede klas zat verhuisde de familie naar de Spanjaarddreef. Maar op "Het hoge Hop" kwamen we elkaar weer tegen. We deden allebei de havo. Jurrien was een leuke jongen. We hebben veel spannende en dolle avonturen beleefd. Ik weet nu hoe belangrijk het voor een jochie is een vriendje te hebben. En, ja stil maar, ik zeg het al, voor een meisje is een vriendinnetje prettig. Meisjes praten meer met elkaar. Over hun vader, die veel te streng is en over hun moeder, die zegt dat meisjes bij de afwas moeten helpen omdat ze daar later, als ze getrouwd zijn, veel profijt van zullen ondervinden. Jongens zijn meer bezig. Jurrien en ik hebben karretjes gebouwd, vliegers gemaakt, met die dingen zwierend en zwaaiend achter ons aan over het grasveld in het plantsoen hollen in de hoop dat de vlieger de lucht in ging, maar het lukte meestal niet. Achter-

af heb ik toen al ontdekt dat jongetjes anders zijn dan meisjes. Zij renden niet zo dom met zo'n papieren wanproduct.'

'Nee, inderdaad, meisjes zijn niet zo dom.' Eveline wilde terug naar Jurrien. 'Na de havo zijn jullie elkaar uit het oog verloren.'

'Hoewel ik het een rare uitdrukking vind,' zei Hans op een schoolmeestertoontje, 'is het in dit verband een goede uitdrukking. Er is geen ruzie geweest, ook niet "jij kiest die weg, ik neem deze afslag", het ga je goed, makker. Nee, maar het gebeurde wel. Toen we ouder werden viel wel op dat onze interesses uiteen liepen. Jurrien had belangstelling voor boeken, bouwkunst, hij wilde in musea kijken, dat soort dingen. Ik keek meer naar auto's, ik volgde de politiek op de voet, ik wilde daarover kunnen meepraten. Want de politiek is dikwijls een heerlijk onderwerp van gesprek. Jurrien heeft een artistieke inslag. Hij was vroeger al erg gesteld op kleuren. Daar kon hij vreselijk over doorzagen. Voor mij was rood rood, je, er was lichtrood en donkerrood, maar het was allebei rood. Voor Jurrien lag dat anders. Het ene rood was het andere rood niet. Ik heb eens gezegd, ik weet het nog: "Het rood van bloed is ander rood dan het rood op de bloswangen van Liza." Hij was toen verliefd op Liza. Als nijdig antwoord kreeg ik de opmerking dat ik er helemaal niets van begreep. Achteraf was dat ook zo. Ik snapte het niet. Het ene rood of het andere rood. Ik snap het zelfs nu nog niet!' Hans lachte luid. 'Jurrien heeft een opleiding gevolgd in "moderne vormgeving". Wat het inhield wist ik toen niet, maar het klonk wel mooi. Jurrien kon de naam van alles wat hij leerde ook met veel gevoel uitspreken. Toen het einde van de opleiding in zicht kwam bood de directie van "Het Woonhuis" hem een baan aan als etaleur. Een etaleur is iemand die de etalages inricht, weet je dat, zusje, maar dat is Jurrien in dat bedrijf niet geworden. Hij wilde geen etaleur zijn. Hij houdt zich bezig met de inkoop, hij stelt de dingen die verkocht moeten worden op een bijzondere manier op in de winkel. Ik denk dat hij plezier en voldoening in zijn werk heeft. Hij zit tenslotte al een poosje bij die Gert Bakker. Ik heb hem de laatste jaren niet meer ontmoet.

Eigenlijk wel jammer.'
'Dat zei hij ook. Je was een fijne vriend.'
'Zie je, zo voel ik het ook.'
Ze waren intussen alle drie naar de kamer gekomen. Martha had het gesprek gevolgd. Ze zei: 'Je kunt hem bellen om een afspraakje te maken. Jullie kunnen in "De Wigwam" afspreken. Daar zaten jullie in de havo-tijd vaak, maar ik vind het prettig als je hem vraagt hier te komen. Jurrien was als klein ventje dikwijls in ons huis. Ook later nog wel. Er kwamen meer jongens en meisjes over de vloer, maar Jurrien was anders dan de anderen. Omdat we hem goed kenden, hij hoorde een beetje bij ons gezin.'
Eveline mengde zich in het gesprek. 'Dat kwam waarschijnlijk omdat hij hier vaak kwam. De moeder van Hans was aardig, ze mopperde niet, ze verbood niets. Ze vond veel goed.'
'Dat zal het geweest zijn.'
'Jurrien was een leuk kereltje om te zien. Grote blauwe ogen en dik, wat krullen haar. Vader vond dat hij vaak iets van verbazing in zijn snoetje had. Dat was ook zo. Het is moeilijk te omschrijven wat we ermee bedoelden, maar pap en ik vonden dat allebei. Er was dikwijls een blik van verwondering in zijn ogen. Er was zoveel om hem heen. Er was zoveel waarnaar hij met verbazing keek.' Even stilte, toen zei ze: 'Kom jongens, de tafel moet ruim. Het eten is bijna klaar. Vader komt zo.'
'Ik bel Jurrien vanavond. Ik heb een telefoonnummer. Als de familie nog op hetzelfde adres woont kan ik hem daar bereiken. En als dat niet zo is weten zijn ouders waar hij te vinden is.'
Eveline koesterde haar binnenpretje. Ze had Jurrien na lange tijd weer gezien en ze had een warm gevoel voor hem. Hij stond vanmiddag groot en recht tegenover haar, in zijn ogen een blije lach van herkenning. "Eveline, wat ben jij groot en mooi geworden! Het zusje van Hans! Ik heb je vaak geholpen een moeilijke puzzel af te maken, weet je dat nog? Voor het zover was dat je alles tukjes door elkaar smeet om ze terug in de doos te gooien stak ik een helpende hand

toe. Je kon zo driftig zijn!" Hij had naar haar gelachen; was de warme blik in zijn ogen alleen voor het kleine meisje van vroeger of ook voor haar zoals ze nu was? Hij had Jenny vriendelijk begroet, maar zij had belangstelling in zijn ogen gezien en zij keek blij naar hem. Een blonde jongen met helderblauwe ogen en een fijne lach. In de avond belde Hans naar Jurrien. Hij was blij de stem te horen van de vriend van vroeger, wat hadden ze niet allemaal beleefd, maar nadat hij die middag Eveline had gesproken was hij nog blijer met dit telefoontje. Hij had zich voorgenomen: als Hans vanavond of morgenavond niet belt bel ik hem.

Ze maakten een afspraak voor zaterdagavond. 'Ik kom graag naar jouw familie,' zei Jurrien. 'Ik wil je ouders weer zien. Je vader, een geschikte kerel, altijd bereid ons bij moeilijke knutselwerkjes te helpen. Hij had veel geduld met ons. En je moeder, ik voelde me destijds bij jullie op mijn gemak. En dan je zus, Hans, dat is een leuke meid geworden!'

Hans glimlachte. Leuke meid, zijn zus Eveline... Nou ja, andere jongens zouden anders naar haar kijken dan hij. En, geef toe, ze kon soms vreselijk vervelend zijn, maar op zich was het toch best een aardige meid.

Die zaterdagavond kwam Jurrien Beekman. Hij bracht een prachtig boeket mee voor mevrouw Welkers, hij had een stevige handdruk voor meneer, een klap op de schouder voor Hans. 'Hè, ouwe jongen, beste vriend, ik ben blij je weer te zien! We hadden elkaar veel eerder moeten opzoeken, maar je weet hoe dat gaat, de dagen rollen over je heen...' Dan keek hij stralend naar Eveline. 'Als ik aan de familie Welkers dacht, en dat gebeurde heus meer dan jullie denken, zag ik ook een klein meisje met blonde haren waar vaak een gekleurd speldje in stak. En nu zie ik een mooie jongedame, gewoon een verrassing!'

Martha dacht: hij komt openlijk en spontaan voor zijn mening uit, echt nog de Jurrien van vroeger en Evelien vindt het leuk, dat is duidelijk te zien.

Eveline lachte naar hem. 'Vleier!!', riep ze, maar dat woordje kwam op een toon die liet merken dat ze wat hij gezegd had prettig vond. Martha's gedachten gingen snel. Ze vroeg zich af of dit iets kon betekenen. Ze moest niet te ver vooruit denken, dat was niet nodig, maar toch, deze ontmoeting; was het toeval? En wat kon eruit voortkomen? Was het niet alleen de blijheid van Jurrien Hans en ons weer te zien en was hij oprecht verbaasd dat uit het wat iele zusje van Hans van vroeger zo'n mooi meisje was gegroeid, want, dat mocht ze toch wel denken, Eveline was een mooi meisje... Zou het hart van Jurrien Beekman sneller voor haar gaan kloppen? Ze wist niet of ze daar blij mee zou zijn of juist niet. Jurrien was toch een fijne vent? Wat was er tegen? Helemaal niets. Haar gedachten sloegen te snel op hol, wat stelde deze ontmoeting voor: een jonge vent die een meisje uit zijn kinderjaren weer ziet.

Er kwam koffie op tafel, ook gebak.

'We hebben tenslotte iets te vieren. Dit is toch een weerzien na zeker drie jaren.'

Er werden herinneringen opgehaald, sterke verhalen verteld en gepraat over de huidige werkkringen van de jongens.

Na de koffie kwam er bier op tafel, een borreltje voor Jan Welkers, vruchtensap, nootjes en stukjes kaas.

In de loop van de volgende week rinkelde in de avond de telefoon. Vader Jan nam hem op en riep naar Eveline: 'Voor jou...'

'Eveline, met Jurrien. Toen ik je vorige week in de winkel zag dacht ik: ze is een leuk en mooi meisje geworden! Zaterdagavond hebben we gezellig gepraat, ik vond het een heerlijke avond. De herinneringen, Hans weer zien en ook je ouders. Je hebt ontzettend fijne ouders. Ik keek af en toe naar jou, dat heb je wel gemerkt. Jij was niet echt het onderwerp van die avond, dat waren Hans en ik, maar ik wil graag meer van je weten. Ik wil met je praten, Evelientje. Zo noemde ik je vroeger soms plagend en dan werd je boos, want je vond jezelf een grote meid, geen Evelientje meer. Ik bel om te vragen of je vrijdagavond met mij, hoe zeg ik dat, uit wilt gaan. Maar het maakt me niet uit wat we gaan doen. Een bioscoopje pikken, een wandelingetje maken en daarna ergens iets drinken.'

'Dat laatste lijkt me leuker dan een film zien. Dan komt er van praten niet veel. Als het een spannende film is knijp ik je arm fijn van angst, als het een lachfilm is knijp ik je arm fijn van plezier. Ik wil met je wandelen, het is zomer tenslotte, de avonden zijn prachtig. En dan zien we wel of we ergens iets gaan drinken. Misschien hebben we er allebei na een half uur babbelen al schoon genoeg van...'

'Nee, dat geloof ik niet!'

Die vrijdagavond wandelden ze in de richting van het Juliana-plantsoen.

Jurrien vertelde over zijn ouders, over hun gezin. Het was bij hen, verwachtte hij, zoals bij haar thuis. Over het algemeen gezellig en goed, maar, hij zei het met een lachje, 'Je weet als bezoeker niet wat zich in de avond en de nacht afspeelt, de gordijnen gesloten en de deur op slot!' Ze gingen even speels op dit onderwerp in. Maar nee, noch bij de Welkers, noch bij de Beekmannen gebeurden in de late avond nare dingen.

Hij vertelde over zijn werk bij "Het Woonhuis" en Eveline praatte over Handelsonderneming Polz en Van Bijlo. Prettig werk, leuke collega's; ze had het er naar haar zin.

Jurrien koos het pad in de richting van 'Het Paviljoen'.

'Wat wil je drinken, lief vriendinnetje?'

'Graag koffie. De wat saaie, rustige familie Welkers drinkt in de avond: koffie. En daar krijgen we dan een klein koekje bij.'

'Koffie dus. Met appelgebak, want kleine koekjes hebben ze hier niet.'

In de loop van het gesprek viel de naam van Marit, het zusje van Jurrien. Marit was zes jaar jonger dan hij.

'Ik weet niet of jij het weet, waarschijnlijk niet, er werd in het verleden niet over gepraat. Maar Marit is geen echt zusje van me. We hebben niet dezelfde biologische ouders. Marit en ik zijn neef en nicht. Voor mijn gevoel is ze mijn zus. Haar vader was mijn oom Theo, een broer van mijn vader. Zijn vrouw tante Lenie. Toen Marit nog een hummeltje was wilden oom en tante voor een wintersportvakantie naar Oostenrijk gaan. Het was een sportief echtpaar. Ze zaten elk in een volleybalteam, ze trainden veel. Een wintersportvakantie leek hen prachtig. Ze hadden er zin in. Er werd goede kleding gekocht, ski's zouden ze ter plaatse huren. Van alles en nog wat werd in de auto geladen, de sneeuwkettingen in de achterbak, klaar voor de reis. Mijn moeder heeft verteld hoe ze naar deze vakantie uitzagen. De bergen, de bossen, alles in de sneeuw. In de morgen de rijp op de bomen, het werden beslist fantastische dagen! "Als we terug zijn," had tante Lenie gezegd, "kunnen jullie alles zien op onze foto's!"

Ongeveer een jaar voor het zover was had het viertal, er over gepraat wat er gebeurde met de kinderen als één van de twee ouderparen plotseling uit het leven zou wegvallen. De kinderen die zij bedoelden waren Marit en ik. Mijn moeder sprak de verwachting uit dat in dat geval de Raad van de Kinderbescherming eraan te pas zou komen en de kans groot was dat vooral een klein kind van verongelukte ouders in een weeshuis, wat een nare naam, in een kindertehuis opgenomen zou worden. Hierover werd informatie ingewonnen. Men raadde hen aan duidelijk op papier te zetten dat, als er iets met mijn ouders zou gebeuren, oom Theo en tante Lenie de zorg voor mij op zich zouden nemen en omgekeerd, mijn ouders de opvoeding en zorg voor Marit wilden aanvaarden.

Ze hebben die papieren bij de notaris gedeponeerd, bij hun, als ze die tenminste hadden, testament. Waarvoor ze vreesden werd harde werkelijkheid. Tijdens de vakantie raakte de auto van oom en tante op een gladde bergweg van de rijbaan en stortte in de diepte. De hulpverlening kwam niet snel op gang, de omstandigheden waren moeizaam. Het was een smalle verbindingsweg van het ene bergdorp naar het andere bergdorp en het was slecht weer. Het is niet bekend hoe lang het heeft geduurd voor een passerende chauffeur het ongeluk opmerkte en alarm sloeg. Mar het was snel duidelijk dat ookal waren de hulptroepen binnen een kwartier ter plaatse geweest, de hulp voor oom en tante te laat zou zijn gekomen. Er was geen enkele mogelijkheid hun levens te redden. Door de val kwam het voertuig op zijn kop tegen de harde berghelling terecht. Ze moeten allebei op slag dood zijn geweest.

Ik was negen jaar en ik weet van de hele geschiedenis omdat ik in huis bleef en veel van wat gezegd en gedaan werd hoorde en zag. Ook van wat er later over is verteld. Ik herinner vooral de ontredderde toestand die in ons huis heerste. Marit was al bij ons; zij logeerde bij ons omdat haar ouders naar Oostenrijk waren vertrokken. Ik vond haar een lief meisje. Ze had blond haar, mooie blauwe ogen, een helder stemmetje en ze lachte zo leuk. Na het ongeluk had ik medelijden met haar. Haar papa en mama waren dood. Ze werden in kisten gelegd en naar het kerkhof gebracht waar ze in een diepe kuil werden achtergelaten. Ik kreeg dit antwoord op mijn vraag: "Mama, wat gebeurt er nu met oom Theo en tante Lenie?" Mijn moeder vertelde over hun zielen die naar de hemel, naar de Here God waren gegaan. Ik wilde weten wat er met hun lichamen gebeurde. Dit dus. Ik ben niet op het kerkhof geweest. Dat wilde mijn moeder niet. Mijn vader vond dat ik, ookal was ik nog jong, in ons gezin moest blijven. Ik werd natuurlijk buiten pijnlijke gebeurtenissen en gesprekken gehouden. Achteraf weet ik dat het een goed besluit van mijn vader is geweest. Ik voelde me met hen verbonden. Ik hoorde erbij. Ik weet nog van alle heftigheid die in ons huis was. De ontreddering toen het bericht kwam. Twee politiemensen in onze kamer, mijn vader die schreeuwde en mijn moeder die huilend met Marit op de arm door de kamer liep. Marit huilde ook, waarschijnlijk omdat het kleine kind de sfeer aanvoelde van "dit is niet goed". Onze huisdokter kwam zodra hij van het drama hoorde. En er waren opeens vele mensen over de vloer. Familie en noem maar op.

Vanaf die dag bleef Marit bij ons. Ik wilde lief zijn voor haar. Ik wilde haar helpen. We speelden samen, ik wilde alles doen om haar te laten lachen. Dat lukte me ook. Ik wilde haar warmte geven naast alle narigheid. Ze zei al snel "mama" tegen mijn moeder en "papa" tegen mijn vader. Ik werd haar broertje Jurrien.'

'Wat een verschrikkelijke gebeurtenis. Een vakantie waarvan je oom en tante zich zoveel hadden voorgesteld, werd een totale ramp.'

'Ja. Marit had haar ouders verloren, mijn vader was zijn broer en schoonzus kwijt, mijn moeder verloor zwager en schoonzus. Iedereen was in rouw. Ouders, broers en zussen, neven en nichten.'

Jurrien keek haar recht aan, een wat beduusde blik in zijn ogen bij de herinnering aan alles wat toen gebeurde.

Hij zei: 'Ik moest het je vertellen. Maar nu laten we het los. Ik wil iets anders bestellen. Zullen we, op deze eerste avond van ons samen, een glas wijn drinken?'

Eveline vond het een goed idee.

Toen de ober de glazen op de tafel had gezet, een schaaltje met kleine hapjes erbij, vroeg ze: 'Wanneer hebben je ouders Marit de waarheid verteld?'

'Toen ze twaalf jaar was. Op school was een meisje dat er thuis iets over had gehoord. Haar moeder kende de geschiedenis. Mijn ouders namen aan dat die moeder van de veronderstelling uitging dat Marit van één en ander op de hoogte was. Maar dat was ze dus niet. Marit was, op die leeftijd, een onzeker kind. Ze ging elke dag naar school, natuurlijk, dat moest wel, maar ze voelde zich er niet prettig. Ze was graag thuis. Veilig binnen de muren van ons huis, haar eigen spulletjes om zich heen, papa en mama die overal voor zorgden. Mijn ouders vertelden haar de hele geschiedenis. Ik was erbij, want vader en moeder wilden dat ons gezin zich rond blijdschap en verdriet schaarde. Ik herinner me die avond nog heel goed. Marit riep toen vader zweeg dat papa nooit meer zo'n eng verhaal mocht vertellen! Het was een akelig verhaal; zij was toch hun Marit?! Het heeft vooral mijn moeder veel geduld, inspanning en wijsheid gekost Marit alles op de enige juiste en goede manier vertrouwd te laten worden met haar verleden. Daarbij kwam dat angst en onzekerheid bezit van Marit namen. Ze was twaalf jaar en ze begreep het hele gebeuren wel, maar het was geen vertelling, het ging om haar, haar papa en mama was dit overkomen. Dat besefte ze en dat kwam hard aan. Maar mijn ouders moesten de waarheid op tafel leggen omdat Marit van Tineke de Wit één en ander had gehoord.

Die avond deed mijn vader het woord, moeder zat er trillend van nervositeit bij. Ik had een hart vol medelijden met Marit. Het is toch vreselijk te horen dat de man die je "papa" noemt niet je eigen papa is. En datzelfde telde voor haar mama.

Ze hoorde alle woorden die vader uitsprak. Ze zat stil op haar stoel. Een bleek gezichtje. Grote ogen die lieten zien dat ze alles niet goed begreep. Het kind kon zich geen voorstelling maken van wat werkelijk was gebeurd. Er was een andere mama vóór deze mama geweest, een andere mama dan mama Marije. Hoe zag die mama er uit? Er was ook een andere papa geweest. Moeder voegde aan de woorden van vader toe dat wij, alle drie, begrepen dat zij het niet kon bevatten en niet kon verwerken. Het was als een lawine over haar heen gevallen. Ze keek van de één naar de ander. Opeens barstte ze in wild snikken uit. Moeder gaf vader een wenk niets te zeggen, laat de tranen maar komen... Toen ze rustiger werd zei ze, hikkend en huilend: "Ik ken die andere vader en moeder niet, ze zijn er niet meer, ze zijn dood, maar ik heb jullie toch? Jullie blijven toch mijn papa en mama?" Ze schoof langzaam, heel voorzichtig, alsof alles aan haar lichaam haar pijn deed van haar stoel, strompelde naar mijn moeder toe en kroop snikkend bij haar op schoot. En zo, allebei huilend, bleven ze een poos zitten. Vader en ik keken elkaar aan, we wilden niet de sterke mannen zijn, we hadden allebei tranen in onze ogen, maar we voelden dat deze reactie van Marit, hoe benoem ik het, want "gunstig" is het juiste woord niet, het "beste" was.'

'Ik vermoed dat er in de dagen na het uitspreken van de vreselijke waarheid van de kant van Marit reacties zijn geweest.'

'Ja. Er kwamen nog veel tranen en ook veel vragen. Over haar ouders natuurlijk en of er foto's waren. Die wilde ze zien. Mijn moeder praatte veel met Marit. Vader noemde moeder soms "onze huispsychologe", maar dat bedoelde hij op een goede manier, beslist niet spottend. Moeder verstond de kunst contact te leggen met Marit. Ze probeerde met woorden portretten te tekenen van Theo en Lenie om Marit duidelijk te maken hoe haar ouders als mensen in het leven hadden gestaan. Niet alleen uiterlijk, dat was op de foto's te zien, maar in hun karakters. Dat lukte de eerste weken niet, maar moeder is er lang mee doorgegaan. Ook omdat Marit steeds meer wilde weten. Maar het bleef moeilijk voor een meisje van twaalf jaar duidelijke beelden te krijgen. Met geduld, begrip en liefde is Marit er goed doorheen gekomen. En volgens mij – maar wie ben ik – door het vele praten van mijn ouders en van mij. We konden goed met elkaar opschieten. Maar zes jaren verschil is toch veel tussen een broer en een zus op die leeftijd. Nadat alles voor haar een plaatsje in haar leven had gevonden nam Marit me in vertrouwen toen ze worstelde met de vraag of papa en mama echt van haar hielden of dat ze haar in huis moesten nemen omdat ze dan aan "mijn echte papa en mama hadden beloofd". Ik kon haar met de hand op het hart verklaren dat wij alle drie heel veel van haar hielden.'

Ze praatten erover door. Na veel woorden zei Jurrien: 'Marit is nu achttien. Ze is een redelijk stabiel meisje. Als het in het gesprek voortkomt worden de namen van Theo en Lenie genoemd. Marit zei daarover: "Ze zijn niet om ons heen, maar ze hoorden hier wel te zijn. Daarom moeten we gewoon hun namen noemen." Marit beseft dat ze haar ouders niet heeft gekend en ze nooit zal kennen. Voor haar zijn het gezichten op foto's. Ze houdt van onze ouders en ze weet dat haar leven zich in ons huis heeft afgespeeld. Ze bouwde voor zichzelf niet stilletjes aan een droomwereld in de richting van "hoe het had kunnen zijn" als haar ouders nog geleefd zouden hebben en veel liever en begripvoller zouden zijn dan deze vader en moeder. Mijn moeder heeft haar op een heel fijngevoelige manier gewaarschuwd niet in die richting af te dwalen.'

'Het hele drama heeft lang geleden plaats gevonden, maar het was en blijft een vreselijke gebeurtenis. Gelukkig is Marit nu een jonge meid die goed in het leven staat. Het heeft mij wel verbaasd dat ze toen ze vijftien, zestien was nooit een vriendje had. De meiden om haar heen hadden dat wel, maar Marit niet. Maar sinds kort is ene Joost in haar leven!' Jurrien lachte er hartelijk om. 'Een romance die begon op de wekelijkse markt. Joost kocht fruit aan de groentekraam en Marit kaas bij het kaasboertje. Ze keken naar elkaar, lachten en ja hoor, het kwam tot een praatje! Marit heeft me over Joost verteld. Een leuke jongen natuurlijk, anders praatte ze niet met hem. Ze is "gevallen" voor zijn prachtige donkere, bruine ogen!'

Eveline glimlachte naar hem. 'Fijn voor Marit.' Ze voegde eraan toe: 'Ik vind dit een goed moment om terug te lopen naar de Borgerlaan. Jij moet nog naar jouw huis...'

Het was buiten intussen donker geworden. Het was stil op de wegen die ze uitkozen. Jurrien nam haar hand en hield die in zijn hand. Eveline vond het prettig. Deze avond met hem was een fijne avond geweest. Het verhaal over Marit was zielig, maar het had tussen hen een gevoel van saamhorigheid gebracht.

Voor de woning zei Jurrien: 'Ik ga nog even mee naar binnen. Ik was hier vroeger kind aan huis! Ik holde door de bijkeuken, klapte met de deuren; daar heeft moeder Martha meer dan eens iets van gezegd! Ik kwam hier voor mijn vriendje Hans, nu wil ik hier graag komen voor mijn vriendinnetje Eveline!'

Toen ze de huiskamer binnenstapten keken vader en moeder Welkers naar een documentaire. Hans zat aan tafel over studieboeken gebogen. Hij hief zijn hoofd op. 'Hallo zeg!' deed hij overdreven uitbundig, 'ben je daar weer, fijne makker die mij blij opzocht na het plan onze vriendschap weer op te pakken!! Zaterdagavond naar de "Weldinger biertapper" en achter de meisjes aan! Maar meneer komt hier binnen, ziet mijn zus en denkt: aha, deze is mij goed genoeg!'

Jurrien ging er lachend op in. 'Ja, jongen, je kent me van vroeger. Als ik iets zie wat mooi is ben ik snel in extase!'

Vader Jan had intussen het televisiebeeld uitgedrukt. Moeder Martha stond op. 'Fijn gewandeld?'vroeg ze.

'Ja,' antwoordde Eveline. 'Het was een heerlijke zomeravond. We hebben iets gedronken in "Het Paviljoen". Ik vind het fijn dat Hans zijn vroegere vriend heeft gebeld.'

'Om weer contact met hém te krijgen. Ja, dat was de bedoeling! Maar dat hij er meteen met jou vandoor gaat, nee, dat was niet de bedoeling! Maar aan de andere kant,' in de ogen van Hans Welkers dansten ondeugende lichtjes, 'sinds jij je achttiende verjaardag hebt gevierd ben ik bang met welke eigenwijze, bokkige, vervelende jongeman jij op een avond zou thuiskomen. Ruzie en narigheid over de vloer. Maar Jurrien Beekman verlost me van die angsten. Hij zal als mijn zwager te dragen zijn.'

'Alsjeblieft, Hans,' kwam Martha nu met een beetje boosheid in haar stem, 'Evelien wandelt één avond met Jurrien en jij ziet ze als over de rode loper schrijden!'

'Ach mam, het zijn toch alleen maar grapjes. We plagen elkaar, maar we kunnen daar tegen.'

Martha schakelde over naar een lichter toontje: 'Ik heb het vroeger gezegd: jullie moeten samen op het toneel gaan staan! Het komische duo "Gek en nog gekker..."'

'Ik heb voor administraties en belastingwetten gekozen,' antwoordde Hans.

'Jammer, jammer.' Jurrien schudde meewarig zijn hoofd.

'Nu is het mooi genoeg geweest.' Martha nam de lege kopjes van de tafel. 'Het is al laat, we sluiten de tent.'

'Ja, ik moet ook naar huis. Vroeger liep Hans met me mee tot de achterdeur, op het terras rondden we dan de afspraak voor het volgende avontuur af. Eveline, wil jij nu met me meelopen?'

'Weer een illusie kapot geslagen,' riep Hans wanhopig. 'Ik hoopte dat onze jongemannenvriendschap op het laatste moment van de avond nog opgepakt zou worden. Maar nee, een vrouw schuift me

aan de kant! Nog wel mijn enige zuster en wat kan ik eraan doen?'
'Je moet even afwachten, mijn zoon,' sprak vader Jan ernstig, 'na de
eerste heftige ruzie bekoelt een liefde dikwijls...'

Dinsdagavond vroeg Eveline aan haar moeder: 'Mam, wist jij dat
Marit geen echt zusje van Jurrien is?'
'Ja, dat wist ik. Je weet dat de familie Beekman enige jaren in de
Borgerlaan heeft gewoond. Omdat Hans en Jurrien met elkaar
speelden spraken Marije Beekman en ik elkaar regelmatig. De hele
laan hoorde natuurlijk van het vreselijke ongeluk. Anton en zij hebben altijd met veel liefde voor Marit gezorgd.'
'Dat geloof ik. Jurrien praatte er vrijdagavond over.'
'Denk je, meisje, dat tussen Jurrien en jou iets groeit? Ik vind eerlijk
gezegd dat hij de eerste avond, die hij hier doorbracht om Hans te
ontmoeten, té veel belangstelling voor jou had.'
'Misschien denkt hij, mam,' ze probeerde het luchtig te houden, 'ik
weet dat ze uit een goed nest komt! Degelijke vader en moeder zoals
bij mij thuis, oprechte, eerlijke mensen. Het moet goed gaan als in
de toekomst iets tussen ons groeit. En ik vind Jurrien een aardige
jongen.'
'Jurrien was als jongetje wispelturig. Om één uur wilde hij dit, om
twee uur iets anders en om drie uur werd ook dat plan weer van de
baan geveegd. Vaak ontstond daar onenigheid over tussen de vriendjes. Hans had zich op het eerst spel voorbereid, ik noem maar iets,
met de auto's spelen. Maar Jurrien wilde opeens buiten voetballen.
Nou ja, dat wilde Hans ook wel. De auto's dus op een hoop achter
de bank en naar buiten met de bal. Maar dat duurde niet lang:
Jurrien wilde fietsen. Langs de rivier, de Loener, dat was leuk! Maar
dan riep Hans: "Nee, daar heb ik geen zin in!" Hij kwam naar huis,
Jurrien ging naar moeder Marije en in het eerste uur zagen de jongens elkaar niet. Later werd het beter met het van de hak op de tak
springen van Jurrien. Maar de jongen wist in veel dingen niet goed
wat hij wilde. In de havotijd wilde hij tekenaar worden. Hij tekende

geen huizen of boten of bomen met kale takken, maar dingen waarvan niemand wist wat het voorstelde. Figuren, rechthoeken, cirkels. Toen hij de opleiding aan het Rosendael-instituut volgde kwam er een beetje lijn in.

Marije vertelde eens, wij samen lachend boven de koffiekopjes: "Anton noemt de opleiding 'vrije vormgeving' omdat hij in alles wat Jurre aan tekeningen mee naar huis brengt geen kop en staart kan vinden. Om die uitdrukking werd Jurrien boos, want het was geen 'vrije'vormgeving. Er zat lijn en richting in." Maar Anton en Marije, eenvoudige mensen, zagen het er niet in.'

Moeder Martha keek haar dochter aan.

'De eerste jaren nadat het gezin Beekman verhuisd was naar de Spanjaarddreef zijn Marije en ik nog een enkele keer bij elkaar geweest. Maar je weet hoe dat gaat, het verwatert snel als je niet meer in dezelfde laan woont. De jongens werden groter en gingen elk hun eigen weg. Hans begon al jong met meisjes. Hij nam ze direct mee naar huis, in het kader van: "Mijn moeder vindt alles goed en ze wil weten wat ik doe." Praten en zoenen met Nelleke. En met Petra. En met Jolanda. Papa noemde de jongedames "Hans' voorjaarsbloemen". De vriendschappen duurden meestal niet lang. En nu, je weet het, hij is drieëntwintig, maar hij heeft de juiste vrouw nog niet gevonden.'

Enkele weken later op een vrijdagavond liepen Jurrien en Eveline naar de schouwburg waar het toneelstuk 'De grote passie' werd opgevoerd door de leden van een amateur-groep. Ze kozen als naam voor hun groep 'Eigen werk', omdat de leden zelf de op te voeren stukken schreven. "Dus van het begin tot het einde; eigen werk," had Jurrien erover verteld.

Tijdens dat gesprek vertelde hij ook over Joris.

"Hij is lid van die groep. Joris is geen echte vriend van me,we ontmoeten elkaar niet iedere week, maar ik ken Joris en er is aantrekkingskracht tussen ons. Ik heb bewondering voor hem heb. De manier waarop hij een goede lijn in zijn leven heeft gebracht heeft mijn sympathie, zelfs een stapje verder, mijn bewondering. Ik ken hem uit de Rosendael tijd. Hij was in de groep waarmee ik veel contact had. Joris volgde geen opleiding aan het instituut. Waarschijnlijk is hij eens met iemand meegekomen naar een avondje en in de kring blijven hangen. Het is een aardige jongen. Ik lette toen al op hem. Die aandacht voelde hij. Vorige week vertelde hij over de uitvoering en het leek me leuk er met jou heen te gaan."

Op weg naar de schouwburg, het was niet ver, lekker even lopen, vertelde Jurrien meer over Joris. 'Voor mij is hij een geboren toneelspeler. Maar nadat hij toelatingsexamen voor de toneelschool in Maastricht had gedaan werd hij afgewezen. Dat was een grote teleurstelling voor hem. Ik begreep de afwijzing niet. Joris praatte vaak over drama's, blijspelen en hij had grote bewondering voor acteurs die solo op het toneel durfden te staan. Zoals Henk van der Oord in "De blinde wandelaar". Joris speelde in die tijd, toch alweer wat jaren geleden, voor mijn gevoel altijd een beetje toneel. Als hij met me praatte was er iets onnatuurlijks in zijn houding. Ik lette daarop. We waren in die tijd allemaal jonge mensen die bezig waren met leren en plannen maken voor onze toekomst. Daar straalde onze belangstelling naar uit. Ik was bezig met kleuren en vormen, Joris met toneelrollen. Terug naar dat praten en de houding die hij dan aannam. Hij vond dat zijn houding moest passen bij de woorden die hij uitsprak. Een afwachtende houding bij een vraag bijvoorbeeld. Als hij iets wilde zeggen zette hij "de vertellende prater" neer. Joris is een lange, slanke vent. Dik blond haar en grijze ogen. Om te zien geen knappe man, maar wel een type dat ondanks al het gewone aan hem toch opvalt. Het zal de uitstraling zijn, zijn charisma.

De grote tegenslag niet op de toneelschool te worden toegelaten hield voor hem in dat hij in de toekomst niet als acteur zijn brood ging verdienen. En dat was zijn droom, zijn ideaal. Maar de droom was voorbij, het ideaal onbereikbaar. Joris heeft een baan bij de

Rabobank in de stad. Er moet tenslotte brood op de plank komen. Het stuk van vanavond is door één van de leden van de groep geschreven. Johan Rademaker.

Rob ter Avest is de regisseur. Joris speelt vanavond een jongeman die in het gezin van de burgemeester van Stavelonken, zo heet het dorp volgens Johan, veel onrust, overlast en verdriet brengt.'

Naast elkaar op de rode stoelen, geroezemoes in de zaal. Eveline voelde zich prettig. Ze zat naast Jurrien. Ze was verliefd op hem.

Het doek ging open en het spel begon. Eveline volgde het met belangstelling. Dit waren dan wel amateurs, maar ze zetten het verhaal bijzonder goed neer. Een zaak van bedrog, leugens en oplichting, maar aan het einde was alles niet zo dramatisch als verwacht werd.

Joris speelde zijn rol uitstekend.

'Ik heb met hem afgesproken dat we na afloop van de voorstelling in de foyer zijn. Hij zal zich snel laten afschminken, dan komt hij naar ons toe. Hij wil jou zien. Ik heb hem over je verteld. Ik heb gezegd dat ik dolverliefd ben.'

'Je doet alsof je niet eerder een vriendin hebt gehad die je aan Joris hebt voorgesteld.'

'Dat heb ik inderdaad niet. Meisjes genoeg om me heen, aan Het Rosendael en ook in de winkel. Lieve meiden, ik mag ze graag, maar toen ik jou zag werd ik heel warm van binnen.'

Joris kwam. Een jongeman met een open gezicht. Dik, kortgeknipt haar dat als een muts om zijn hoofd sloot. Heldere, grijze ogen.

'Dag, Eveline. Ik ken je naam, want Jurrien heeft hem dinsdag meerdere malen met liefde uitgesproken.' En zonder aarzelen kwam hij daarop met zijn vraag: 'Hoe vonden jullie het stuk? Mooi, hè? Het is een prachtig geschreven vertelling. Met diepte en ontroering. Ik vraag me af of het publiek dat op de juiste manier kan oppikken. Men zit op een stoel in de zaal, alles glijdt vrij snel over je heen, maar neem je alle prachtige vondsten wel op zoals wij, de spelers doen? In de tijd van het lezen van het script en het leren van de teksten krijgt alles meer diepte.'

Daarover begon een gezellig gesprek. Eveline luisterde met plezier naar Joris. Hij praatte met warmte over het stuk en de spelers. Er kwam en andere Joris naar voren, maar na een iets te lange blik van haar naar hem toe verschool hij zich achter een lachje. Ze noemde dat lachje voor zichzelf "wat zeg je dat leuk, Eveline", want die indruk moest het lachje wekken.

Ze namen afscheid. Ja, ze moesten gaan, de foyer werd gesloten. Joris wilde ook naar huis. Hij was moe. 'Het is inspannend een hele avond op de toppen van je kunnen te spelen en weten dat ruim driehonderd mensen in de zaal elk verkeerd woord en elke verkeerde houding registreren.'

Terug naar de Borgerlaan legde Jurrien zijn arm om haar schouders en hield haar dicht tegen zich aan.

'Joris is een aardige jongen,' zei Eveline.

'Dat vind ik ook. Ongeveer twee jaar geleden heb ik zijn broer gesproken. Ik stapte op een middag een lunchroom binnen om snel een kopje koffie te drinken. Ik was bij een goede klant geweest, leuke order geplaatst, maar ik was moe van het staan en drentelen in zijn bedrijf. Even een koffie pakken en dan weer verder. In die lunchroom zat een man, groter en breder dan Joris, maar hij leek toch als twee druppels water op hem. Het moest familie zijn. Omdat ik verbaasd naar hem staarde keek hij mij vragend aan. Ik zei: "Ik ben Jurrien Beekman en ik ken Joris Veldkamp." Hij noemde meteen zijn naam: Peter Veldkamp. We hebben een goed gesprek gehad. Hij vertelde dat Joris het in zijn kinderjaren niet gemakkelijk heeft gehad. Toen hij een jochie was, twaalf, dertien jaar, was hij een smal, tenger ventje. Te klein voor zijn leeftijd. De jongens in de straat en op school scholden hem uit. Zijn vaste bijnaam was "muizensmoel". Hij werd niet bij hun spel betrokken, hij stond er buiten. Onze ouders zijn, vind ik, nuchtere, wat domme, mensen die zich niet bezighielden met de psychische problemen van één van hun zonen. Mijn ouders hadden liever geen kinderen gekregen. Ze konden er de liefde niet voor opbrengen, ook het geduld niet. Want kinderen zijn niet altijd lief, leuk en gehoorzaam. Onze ouders koesterden in hun jonge jaren opgefokte plannen. Ze wilden met z'n tweetjes de wereld intrekken, hier en daar iets verdienen, zuinig leven, met weinig tevreden zijn maar wel veel mooie dingen zien en avonturen beleven. Je kent die verhalen wel. Maar na mijn geboorte zaten ze vaak met een huilende baby op schoot. Na twee jaar kwam – wat dus niet de bedoeling was – Joris. In zijn kleuterjaren was hij dikwijls ziek, moeder noemde hem een "tobbertje". Ik trok me niets aan van hun verhalen dat ze het zo graag anders hadden gewild in hun leven. Ik wist intussen meer van de man-vrouw verhouding van het huwelijk. Ik was niet schuldig aan mijn komst, voor Joris was het moeilijker. Hij was ongewenst, ze hielden niet echt van hem. Joris was gevoeliger dan ik. Hij miste iets, hij had geen ondergrond. Hij was als kind een ongelukkig jongetje.Vader Veldkamp hield Joris voor dat hij dapper moest zijn, een flinke jongen met durf. Joris moest de rotjongens heldhaftig tegemoet treden en zijn mond openhalen. Dat kon hij thuis toch ook zo goed? Dat was waar. Joris kon in huis zijn mondje wel roeren. Maar, wist Peter, het kind moest toch ergens zijn agressie kwijt? Moeder Veldkamp stapte totaal over de moeilijkheden van haar zoon heen. Hij was nu nog klein en smalletjes, maar daar was niets aan te doen. Als hij zestien, zeventien was zou het anders worden. Afwachten dus. Het kwam wel goed. Met die woorden schoot Joris niet veel op. Hij voelde zich door zijn ouders in de steek gelaten. Joris heeft zich over de narigheid van zijn kinderjaren heen proberen te zetten door te denken aan alles wat hij laer wilde bereiken. Hij rende na de schooluren zo snel mogelijk naar huis, dan was hij veilig binnen de muren. Hij had in die tijd een groot plan voor ogen, hij werd toneelspeler!! De wereld zou zich over hem verbazen! De nare jongens zaten dan sidderend in de zaal als hij Nero speelde...

Hij lette op bij de taallessen, las veel, luisterde via de radio en de televisie naar de uitspraak van sprekers, want een goede taalkennis had hij later zeker nodig.

Peter vertelde die middag, we zaten intussen aan een biertje, dat Joris toen hij rond de vijftien was in zijn kamertje oefende. Hij las stukken uit boeken voor, bedacht bloederige verhalen en voerde die in eenzaamheid op. Moeder wist ervan. Ze had haar man en Peter op het hart gedrukt geen opmerkingen te maken. Peter zei me die middag dat hij toen ontdekte dat zijn nuchtere moeder toch besefte hoe moeilijk het leven voor Joris was. De jongen was een eenling, maar hij had daar zelf niet voor gekozen. Het werd hem opgelegd. Mede door zijn uiterlijk. Te klein, te tenger, krulletjes haar....'

'Toch zielig,' reageerde Eveline, 'en daar bovenop kwam het afgewezen worden aan de toneelschool.'

'Volgens Peter zag de leiding van de toneelschool in hem de onzekere, bange jongen die hij in de jaren daarvoor was geweest. Men was ervan overtuigd dat de opleiding te zwaar voor hem zou zijn en dat ook het leven als acteur in de toekomst ongeschikt voor hem was. Veel repeteren, veel reizen, veel collega's die niet altijd dikke vrienden met hem wilden zijn. Waarschijnlijk hebben de mensen van de toneelschool het goed gezien, maar ze beslisten wel voor Joris. Joris heeft zich losgemaakt van zijn verleden en hij vond een eigen weg. Het toneelspelen heeft hem daarbij geholpen. Hij wordt gewaardeerd bij "Eigen werk", de mensen mogen hem graag. Hij staat nu stabiel en redelijk gelukkig in het leven'

Ze liepen zwijgend verder, allebei in gedachten bij Joris. Toen zei Jurrien: 'Voor Peter en ik afscheid namen, twee jaar geleden, zei hij: "Joris wil graag vrienden. Hij noemt jouw naam nu en dan, Jurrien Beekman. Een vent die het in de ogen van Joris heeft gemaakt in het leven. Die Jurrien praat met hem."'

Ik heb toen tegen Peter gezegd dat ik Joris blijf volgen. Je hebt hem vanavond op het toneel gezien en hij doet het goed! Hij kroop in de huid van die vervelende kerel die het hele gezin van de burgemeester op zijn kop zette. Na afloop was Joris zich ervan bewust dat hij goed heeft gespeeld. Dat gaf zelfvertrouwen. Het deed hem goed.

En wij bejubelden hem. Daarna is hij naar huis gegaan. Joris woont alleen in een flat in de Winterstraat. Moeder Veldkamp vond dat hij toen hij twintig was een eigen onderdak moest zoeken. Als ik Joris tegenkom praat hij over zijn toch wat eenzame leven. Hij heeft nu wel vrienden, maar er zijn toch veel avonden die Joris alleen in zijn flat doorbrengt.'

'Je hebt er prachtige woorden voor gekozen. Ik begrijp wat je bedoelt.'

'Ik heb toch een beetje medelijden met Joris. Maar ik kan hem niet helpen. Ik kan hem geen werk bij een toneelgezelschap bezorgen. Ik heb ik die richting totaal geen contacten. Ik ben ook bang dat het op een mislukking zal uitdraaien. Ook die wereld is hard. Concurrentiegevoelens, kritiek, noem maar op. Joris heeft een goede baan bij de bank, met zijn verstand is alles in orde. Hij gaat goed met de collega's om en hij heeft een prima inkomen. De groep "Eigen werk" voert meestal één maal per jaar een stuk op dat dan twee of drie avonden op de planken komt. De laatste jaren was in die stukken een belangrijke rol voor Joris weggelegd. Of, dat kan ook, schreef men er een goede rol voor Joris in.'

'Ik begrijp dat je Joris niet wilt loslaten. Ik ben bijna thuis, jij moet nog een wandelingetje maken. Ik wilde je vanavond vragen hoe het woensdag en onderdag op de beurzen is gegaan, maar aan die vraag kwam ik niet toe.'

'Nee, alle aandacht ging naar Joris! Maar er is wel veel over die dagen te vertellen! Belangrijke dingen ook. Zullen we daar morgenavond over praten?'

'Afgesproken.'

2

DE VOLGENDE AVOND GINGEN JAN EN MARTHA WELKERS OP BEZOEK bij kennissen en Hans was ook niet thuis.
'Met jou dicht naast me buiten lopen is heerlijk,' zei Jurrien die avond, 'maar met z'n tweetjes in de kamer zitten is ook heerlijk. Kom naast me, ik wil je knuffelen en zoenen. Men praat soms over liefde op het eerste gezicht, één blik, het juiste gevoel en het wonder voltrekt zich! Ik vond dat onzinnig geleuter, maar het is waar!! Ik heb het ondervonden. Ik stond van het ene op het andere moment voor jou in vuur en vlam!'Hij lachte zo lief, vlammetjes in zijn blauwe ogen, 'heb jij het ook zo ondergaan?'
'Iets minder heftig. Ik kende je natuurlijk, die leuke, blonde jongen die vroeger om de haverklap ons huis binnenstruikelde. Ik heb je daarna een paar jaar niet gezien en ik moet eerlijk bekennen dat het een verrassing was je in "De Woonwinkel" te zien. Nog een leuke vent en, ook belangrijk, we kunnen goed met elkaar praten.'
'Ik wil je vertellen over de beursdagen. Daar zit één en ander aanvast.'
Hij begon: 'Ik heb het naar mijn zin in "Het Woonhuis". Het is een prachtige, grote zaak en er is veel moois te koop. Eethoeken, bankstellen, kasten en noem maar op. En ook alles wat de aankleding van een woning gezellig en mooi maakt. Dat is mijn afdeling. Ik koop veel van die artikelen in voor Gert Bakker. Hij keurt het goed, ik handel in zijn opdracht. Ik ken de smaak van Bakker. Maar het is niet echt mijn smaak. Ik vind het wel mooi, het past ook goed bij de meubelen die verkocht worden, maar het is niet mijn smaak. Er komen genoeg mensen die tot grote tevredenheid slagen bij "Het Woonhuis". Veel mensen hebben ideeën in hun hoofd, maar echt afgerond zien ze het niet voor zich. Hoe het er zal uitzien als alles in hun kamer staat. Dat komt een beetje als onze verkopers, mannen met ervaring, één en ander bij elkaar schuiven. Gordijn op de

achtergrond, mooi beeld erbij geschoven, een schaal in contrasterende kleuren op de tafel, schemerlamp in de hoek. Dan gaat het geheel leven. Allemaal goed, ik ben er blij mee.

Ik heb meerdere malen bij Bakker gepleit een ruime hoek in de winkel in te richten met spullen die jonge mensen zal aantrekken. Toen ik daar de eerste keer mee kwam riep Gert: "Ikea!! Je hebt Ikea-ideeën!! Daar is niks mis mee, maar het is niets voor ons! Het komt niet in onze winkel! Het is mijn stijl niet. Mensen kopen bij ons mooie, degelijke meubelen en zoeken daarbij de mooie gordijnen uit die jij hebt ingekocht! Geen gele zonnebloemen of strepen in rood en groen die pijn doen aan de ogen.Op een dag, en die dag zal gauw komen, zijn ze over de eerste extase heen, weten ze dat het niet bij hen past. Even was het mooi, een oranje kleed op een zwarte tafel, maar snel gaat het oranje teveel aandacht trekken. Het duwt de mooie meubelen naar de achtergrond!" Gert kan het vol vuur brengen. Nou,' Jurrien zuchtte overdreven dramatisch, 'dan zwijg ik, maar het laat me niet los. Het is mijn bedrijf niet, ik heb er niets over te vertellen. Als het mijn zaak was pakte ik het anders aan en het zou veel jonge mensen door onze deuren naar binnen brengen.'

'Je bent voor Gert Bakker in elk geval een medewerker die met hart en ziel bezig is.'

'Dat is zeker. Ik vind het prettig in deze branche te werken. Ik werk eraan mee dat mensen in een interieur wonen waarin ze zich prettig voelen, waarin ze echt thuis zijn. Dat gevoel werkt aan hun huwelijksgeluk. Ik zie aan je snoetje dat jij het overdreven vindt, dat smalende lachje van je, maar denk er maandag in de lunchpauze maar over na. Dan weet je dat ik gelijk heb.'

'Als er nog een afdeling zou zijn met speelse dingen voor jonge mensen...'

'Dan kon ik mijn geluk niet op! Woensdag, in Utrecht was het, zoals elk jaar, druk en gezellig. Ik heb goede inkopen gedaan. Donderdag naar 's Hertogenbosch. Daar wordt elk jaar weer een geweldige stand opgebouwd door de firma Bergermann uit Wendelbach. Een niet zo grote stad een klein stukje Duitsland in. Op de hoogte van Winterswijk de grens over. De eigenaar staat in de stand. Hij is elk jaar verheugd me te zien omdat ik mijn belangstelling voor veel dingen die hij in zijn stand heeft, laat merken. Schitterende, mooie producten uit Afrikaanse landen, Nepal, China en India, maar ook fleurige kleden uit Polen en Oostenrijk. Dingen die een kamer in donkereiken of eentonig essen opeens zonnestralen geven! Die Bergermann heeft me vorig jaar gevraagd bij hem te komen werken. Als inkoper. Daar zitten reizen naar het buitenland aanvast, dat trekt me aan, dan zie ik wat meer van de wereld. Maar ik heb van mijn ouders een opvoeding gekregen die als leidraad "voorzichtigheid" heeft, niet "overal direct opin springen", wikken en wegen; mijn sterrenbeeld is danook weegschaal. Zint voor ge begint. Wees tevreden met wat je hebt. Spring niet in een te groot avontuur. Is het je duidelijk?' De lach op zijn gezicht sprak boekdelen.

'Ja, volkomen.'

'Jurgen Bergermann zei me vorig jaar, aan het einde van het gesprek over zijn vraag bij hem te komen, dat hij een mooie woning voor me zal regelen. En, zei hij, je bent vrijgezel, wij hebben hele leuke meisjes in de familie! De afspraak is dat ik er dit jaar "ja" of "nee" op zal zeggen. Een jaar de tijd om na te denken. Dat moet voldoende zijn. Ik heb er heel veel zin in. Ik was tot "ja" besloten, maar... nu heb ik jou ontmoet...'

'Zo, nu wordt het spannend.'

'Ik heb het bij "Het Woonhuis" goed. Ik woon nog thuis, dat weet je, maar ik heb daarnaast beschikking over een appartement boven de winkel. Dat appartement heeft Gert Bakker enige jaren geleden laten inrichten voor zijn dochter en aanstaande schoonzoon. Ze kwamen door de nog steeds durende woningnood niet aan een huis toe en vader Gert zei: "Boven de winkel is ruimte genoeg. We zorgen er zelf wel voor." Toen Tanja en Bart vorig jaar een huis in de Parklaan kochten wilde Bakker geen vreemde mensen boven de winkel hebben. Ik was vaak 's avonds nog aan het werk, orders uitwerken en meer van dat soort dingen, spulletjes voor klanten in de winkel bij elkaar zoeken... Gert bood me aan gebruik van het appartement te maken als ik dat wilde. Dat aanbod heb ik aangenomen. Er is een ruime woonkamer, een mooie slaapkamer, een keuken en een badkamer. En bergruimte. Met meubelen van familie en dingen die bij "Het Woonhuis" in de opslag stonden heb ik het ingericht met losse "sfeer-producten", zoals wij dat noemen. In de meeste gevallen kreeg ik ze of kon ik ze voor weinig geld kopen van lui waar ik de inkopen voor de winkel voor doe. Ze houden me graag tot vriend.' Jurrien zweeg even, Eveline wachtte op wat nu ging komen.

'Ik was van plan er uitgebreid met Jurgen Bergermann over te praten. Maar opeens was jij er, blond, lief en mooi!! Ik was meteen verliefd en ik weet dat mijn verdere leven een mislukking wordt als jij niet bij me bent. Dus, wist ik, wij moeten de plannen serieus en uitvoerig met elkaar bepraten.'

Eveline lachte luid. Een bijna schaterende lach. Ze riep: 'Je denkt toch niet dat ik met je meega naar Wendelbach? Hoe lang ken ik je? Ik wist wie Jurrien Beekman was, maar ik "kende" je totaal niet. Praten, lachen en spelen deed je vroeger met Hann. We gaan nog maar drie, vier weken met elkaar om! Hoeveel echte gesprekken hebben we gevoerd? Dat stelt weinig voor! Ik weet niet welk plan je in gedachten hebt gemaakt, maar ik ga niet met je mee naar Duitsland. Mogelijk deed ik dat zelfs niet als we anderhalf jaar verloofd waren, ringen om de vingers, één spaarpotje in een kast bij jou en één in een kast bij mij. Ik voel er niets voor in een kleine stad in Duitsland te wonen. Ik zeg het duidelijk: ik ga niet met je mee.'

'We moeten het belangrijkste tussen ons voorop stellen, Evelientje. Het belangrijkste is onze liefde. Ik ben heel zeker van mijn liefde voor jou. Ik kan het romantisch verwoorden: ik zag je, ik voelde hoe de liefde bezit van me nam...'

Eveline glimlachte, maar ze zei niets.

'Ik weet dat de liefde van jouw kant iets minder heftig is dan van mijn kant. Jij ontmoette een jongen waarvan je wist dat het een geschikte vent was, verder ging het niet. Gevoelens en gedachten in een mens zijn voor anderen soms niet te begrijpen. Maar ik weet dat ik van jou houd en dat gaat niet voorbij.'

'Je zegt dat ik je een geschikte vent vind, maar, lieve jongen, het gaat echt wel een stapje verder.'

'De beurs in 's Hertogenbosch is nog tot vrijdag. Stel dat ik er één van deze dagen heen ga om met Bergermann te praten. Stel dat hij en ik tot een akkoord komen. Mijn positie in het bedrijf wordt goed vastgelegd, salaris en woning zijn besproken, maar dan duurt het zeker nog drie, vier maanden voor ik daar kan beginnen! Ik kan vrij-dagavond niet tegen Gert Bakker zeggen: ik kom maandag niet meer. In het contract tussen ons is ook een opzegtermijn vastgesteld, maar ik weet niet hoe lang die periode is. Het is dus niet zo dat ik je halsoverkop, wat een raar woord, wil meeslepen naar Wendelbach. Maar het is wel zo dat daar voor mij grote mogelijkheden liggen. Herr Bergermann is een kerel met ruim inzicht waar het zakendoen betreft. Hij creëert kansen en mogelijkheden. Hij ziet voor zich hoe het gaat worden. Geen luchtkastelen, maar realistisch denkwerk. Hij weet wat jonge mensen in hun huizen willen en hij weet ook tussen welke meubelen en snuisterijen iets ouderen zich prettig en genoeg-lijk voelen. Soms weten die mensen zelf de juiste kleur en vorm niet, maar Bergermann en ik, met neuzen voor alles wat in deze handel leeft, laten het ze zien en dan zeggen ze: "Ja, dit is wat wij willen!" Het lijkt me heerlijk in dat bedrijf te werken. Gert Bakker heeft een mooie zaak, maar hij is te veel gesteld op zekerheid.'

Jurrien bleef praten om Eveline de gelegenheid te geven na te den-ken over wat hij voor hun toekomst naar voren bracht. Het maakte niet uit dat de woorden over onbelangrijke zaken gingen. Het ging om haar luisteren. En, op de achtergrond, haar denken.

'Er is een tijd geweest dat in vrijwel elke woonkamer een dressoir stond. Gert bleef dressoirs inkopen. Hij kwam misschien stilletjes wel eens op de gedacht dat ook in een ander model kast serviesgoed keurig opgeborgen kan worden, maar nee, Gert Bakker wist: de mensen willen een dressoir. Er staan er nog een paar in het magazijn.' Jurrien lachte. 'Jurgen Bergermann zegt tegen zijn klanten: kijkt u eens naar deze kast. Neem er de tijd voor. Probeer het in uw gedachten geplaatst te zien tegen de muur die u hebt voorbestemd als achtergrond voor uw dressoir...'

'Je kunt het leuk vertellen, lieverd en je bent helemaal vrij naar Wendelbach te vertrekken. Tussen ons is alles nog pril. Als het voorbij gaat komen we er wel overheen.'

Jurrien deed alsof hij de ware bedoeling van haar woorden niet begreep.

'Je geeft me ogenschijnlijk vrijheid, lieve schat, maar je weet dat dat in werkelijkheid niet zo is. Want ik laat jou niet los. Ik weet dat jij het meisje bent dat mijn vrouw zal worden.'

'En ik weet dat ik niet in Duitsland ga wonen.'

Jurrien hield vol. 'Het aanbod van Jurgen Bergermann betekent heel veel voor me, lieveling, besef dat wel. Het zal werk brengen dat ik kan doen op de manier die ik graag wil. Bergermann geeft me veel vrijheid omdat hij weet dat het goed zal gaan.'

Ze praatten erover door. Eveline voelde zich verdrietig. Ze had een nog niet zo sterke liefde voor hem dat ze hem door dik en dun overal naar toe zou volgen, maar ze mocht hem wel erg graag!

'We stellen vast dat jij het liefst naar Duitsland gaat en dat ik liever hier blijf. De mogelijkheid daartoe is er toch wel? Jij neemt die baan aan. Je hebt verteld op een goed salaris te mogen rekenen, een klein autootje, desnoods een tweedehands, moet eraf kunnen. Met dat karretje rijd je om de twee, drie weken naar Weldenbach. Ik blijf hier werken bij Polz en Van Bijlo. Dan zien we elkaar regelmatig en zien we hoe sterk onze liefde is.'

'Nee, nee!' riep Jurrien, 'dat wil ik niet! Ik wil je elke dag bij me hebben. En als we elkaar zo weinig zien bestaat de kans dat we uit elkaar groeien. We leven dan ieder een eigen leven. Jij hebt gesprekken en ontmoetingen waarover je me niet vertelt. Ik had je twee of drie jaar geleden al willen leren kennen. Ik weet dat je het een zotte gedachte vindt, maar zo voel ik het. Vanaf nu wil ik je bij me hebben. En eigenlijk, lieveling, begrijp ik niet dat jij niet snapt wat deze kans voor mij, maar ook voor jou, betekent! Een goede toekomst, dat is toch belangrijk? Je moet erbij bedenken, ik heb het al gezegd, dat het zeker drie maanden duurt voor ik echt aan de slag zal gaan bij Bergermann. In die maanden zijn wij vertrouwd met elkaar. Jij kent mij en ik ken jou. Onze liefde verdiept zich. Dan trouwen we en gaan we samen naar Weldenbach.'

'Het is jammer dat jouw plan om naar Duitsland te verhuizen ontstond vóór wij elkaar ontmoetten. De tijd is te kort. Ik vind je heel aardig, ik ben ook verliefd op je, maar ik ben nuchter genoeg om vast te stellen dat het een veel te enge basis is om zulke grote plannen te bouwen. Het heeft niets te maken met het feit dat ik geen begrip heb voor jouw grote kans. Die kans zie ik wel. Daarom zeg ik: ga jij maar. Dan zien we hoe één en ander zich ontwikkelt.'

'Je moet het noodlot niet tarten.'

'Onzin. Als er echte liefde tussen ons is moet het kunnen.'

'Ik wil het niet. Ik wil niet alleen in Weldenbach zitten en jou hier weten.'

'En ik wil niet met je mee.'

Het praten kreeg een verdrietig tintje. Jurrien was erg teleurgesteld. Hij was overtuigd van zijn liefde voor Eveline, hij wist dat het goed was en hij verwachtte dat haar liefde voor hem eraan gelijk was. Maar dat bleek niet zo te zijn.

Hun stemmen klonken luider, elk verdedigde het eigen standpunt.

'Mijn ouders komen zo thuis. Ik wil niet dat zij horen wat tussen ons speelt. We kunnen allebei raden wat hun mening zal zijn. Jullie kennen elkaar nog te kort om zo'n grote beslissing te nemen.'

'Je denkt dat jouw ouders jouw mening zullen delen. Ik geloof dat niet. Wat dat betreft wil ik de confrontatie wel aangaan.'

'Ik beslist niet. We denken er allebei over. Als jij besluit naar Weldenbach te gaan ga je naar 's Hertogenbosch om er met Berger-

mann over te praten. Ik hoor het wel.'
'Dat is kletskoek!'viel Jurrien luider uit dan hij wilde. 'Ik ga niet zonder jou naar Weldenbach!'
Een sleutel werd in het slot van de voordeur gestoken en kort daarop stapten Jan en Martha de kamer binnen. Ze zagen allebei dat er "iets was voorgevallen" tussen de twee jonge mensen, maar ze vroegen niets.
Een half uur laten stond Jurrien op. 'Het is al laat, ik ga naar huis.'
In de gang nam hij haar in zijn armen. 'Ik ben heel verdrietig,' zei hij.
Een laatste poging, wist Eveline, maar lieve jongen, hoe verliefd ik ook op je ben, ik beloof je niet dat ik met je mee ga.
Jurrien nam haar gezicht in zijn handen en kuste haar op het voorhoofd. Hij keek haar lief aan en zei: 'Ik wacht op je belletje.'
Dan speel je de beslissing naar mij toe, dacht ze. Maar dat wil ik niet, Jurrien. Ze zei: 'Of jij belt mij.'

Na drie dagen was er nog geen telefoontje van Jurrien gekomen.
'Ik had zaterdagavond het gevoel,'zei Martha Welkers, 'dat er iets tussen jullie was voorgevallen.'
Evelien lachte overdreven vrolijk. 'Ja, dat was ookzo! Maar het ging over een totaal onbelangrijk onderwerp! Het stelde helemaal niets voor. Jurrien kan in dergelijke gevallen lekker volhouden en dan ga ik er tegenin, dat vind ik leuk. Het was totaal onbelangrijk.'
'Maar hij belt niet even om je stem te horen zoals hij andere avonden wel deed.'
'Jurrien is waarschijnlijk de stad uit. Hij wilde nog naar de woonbeurs in 's Hertogenbosch. De beurs is tot vrijdagavond negen uur open.'
Martha knikte. Niet verder vragen. Ze had sterk het gevoel dat er iets was voorgevallen tussen de twee jonge mensen dat verder ging dan een onschuldig onderwerpje, maar als Eveline er niet over wilde praten, vroeg zij niet verder.

Eveline weifelde. Zou ze moeder vertellen wat er aan de hand was? Er was een goede verstandhouding tussen haar en haar ouders, over alles was een gesprek mogelijk. Maar dit... Moeder zou schrikken van Jurriens voorstel. Ze zou zeggen: "Maar kind, we kennen die jongen omdat hij bevriend was met Hans, maar verder kennen we hem niet. De laatste jaren was er geen contact tussen de jongens. Nu ziet hij jou, hij denkt meteen dat hij dolverliefd is. Nou ja, laat dat waar zijn, het is niet onmogelijk tenslotte, maar holderdebolder met hem trouwen en naar een stadje in Duitsland vertrekken, nee, daarin heb je volkomen gelijk, dat moet je niet doen."Het was of ze moeders stem hoorde... Misschien zou moeder aan haar antwoord de vraag toevoegen: "Hoe zijn jullie uit elkaar gegaan?" Dan zou ze eerlijk antwoorden: "Jurrien zei met een lieve lach: ik wacht op je belletje..."

"Echt een mannen-besluit! Jou het laatste woord in de mond willen leggen." En zij zou er dan aan toevoegen: "Ik heb gezegd: of jij belt..." Deze woordenwisseling speelde zich in haar gedachten af, maar ze sprak er niets over uit. Nog maar even afwachten.

Maar vier dagen later zei moeder Martha: 'Meisje,. Eveline, ik heb toch sterk de indruk dat er tussen Jurrien en jou iets is voorgevallen wat je behoorlijk dwars zit. Als je erover wilt praten weet je dat je het aan mij, en ook aan vader als het onderwerp meer op zijn terrein ligt, kunt voorleggen. Wil Jurrien misschien meer seksueel contact met je hebben? Dat zou niet verbazingwekkend zijn. Hij is vierentwintig jaar, een flinke, gezonde kerel en hij zegt verliefd op je te zijn. Misschien wil hij een keurige jongen blijven en je alleen zoenen, maar zijn lichaam vraagt meer.'

'Nee, mam, dat is het niet. Ik zal het je vertellen.'

En Eveline praatte over de grote meubelzaak van Jurgen Bergermann in Weldenbach in Duitsland en over de baan die Bergermann Jurrien had aangeboden. En het verlangen van Jurrien die baan aan te nemen.

Martha Welkers sprak als reactie de woorden uit die Eveline verwachtte.

'Als jullie langer met elkaar omgingen, ja, mogelijk was het dan een prachtige kans. Van Jurien is het begrijpelijk dat hij naar Duitsland wil gaan, naar, hoe zei je dat het dorp heette, Wendelbach... Die eigenaar heeft hem één en ander voorgespiegeld en waarschijnlijk is alles in werkelijkheid ook zo mooi en goed. Maar jij hebt gelijk niet overhaast de beslissing te nemen met hem mee te gaan. Jullie gaan nog veel te kort met elkaar om. Je mag Jurrien graag, maar je kent hem nog lang niet goed genoeg om naast zijn lieve dingen ook van zijn fouten en streken te weten. Jurrien is om te zien een leuke vent, een grote kerel, een man om tegenaan te leunen, hoewel,' Martha Welkers zei het lachend, 'dat moet je niet in het uiterlijk zoeken. Buurvrouw Jetske is een flinke vrouw, recht en stevig, je kent haar. Ze is getrouwd met Stefan, een tengere, kleine man. Als zij met haar lichaam tegen hem aanleunt valt hij om, ha, ha, ik zie het voor me, maar geestelijk is Stefan een beresterke kerel. Jetske vindt steun bij hem, hij is haar rots in de branding.'

Eveline knikte. Ja buurman Stefan was een fijne man.

Weer ernstig vroeg haar moeder: 'Je hebt hem gezegd niet met hem mee te gaan, ook niet over drie of vier maanden.'

'Die tijd is nog te kort. Ik ben echt verliefd op Jurrien. Veel meisjes en vrouwen zweven in die eerste tijd van groot geluk in roze wolken blindelings achter de man van hun dromen aan, maar, mam, daar ben ik te nuchter voor. Ik wil graag met Jurrien trouwen, maar ik moet hem wel goed kennen. In boze buien,' ze keek met een guitige lach in haar ogen naar haar moeder, 'in driftige buien en bij tegenslag. Ik heb hier in huis het voorbeeld van een goed huwelijk, maar ik ken te veel andere voorbeelden. En los daarvan, dat speelt ook een belangrijke rol, trekt het me niet in Weldenbach in Duitsland te wonen. Vreemde mensen om me heen, Jurrien de hele dag aan het werk... Nee, ik wil het niet en ik doe het niet.'

'Misschien verwacht hij dat jij hier snikkend op de bank zit, je moeder brengt schone zakdoeken en je snottert... Jurrien... Jurrien...'

Eveline lachte. 'Jurrien kent me van vroeger. Het zusje van Hans, een kattenkop die wist wat ze wilde. Maar, mam, we proberen er een luchtig toontje aan te geven, maar ik voel het toch als triest. Jurrien en ik hebben echt iets met elkaar. Jurrien heeft de overtuiging "zij is het voor mij en niemand anders." Zo heftig is het voor mij niet. Maar ik houd van Jurrien en ik ben verliefd op hem.'

Martha knikte. 'Als die woorden voor Jurrien de waarheid zijn laat hij het plan Weldenbach los en kiest hij voor jou.'

'Ik wacht af.' Ze had die woorden eerder gedacht; ze sprak ze nu uit.

Donderdagavond in de volgende week belde Jurrien.

'Eveline, ik bel nu pas, wel laat, lieveling, dat weet ik. Ik heb over alles nagedacht, ik heb het er moeilijk mee gehad. Ik ben nog eens naar 's Hertogenbosch gegaan. Ik heb met Jurgen Bergermann gepraat. Hij vroeg waarom jij niet met me was meegekomen. Dan hadden we over zijn ideeën kunnen praten. En zag je wat voor fijne kerel hij is! Je mag hem beslist. Je zou vertrouwen in hem hebben. En, zei Bergermann, als hij met jou had gesproken wist hij welke woning voor ons geschikt zou zijn, jouw smaak. Maar Evelien, je belde me niet.'

'Ik had gezegd wat ik wilde zeggen.'

Er viel een stilte, Eveline bleef met de hoorn aan haar oor geduldig wachten.

Jurrien praatte op een andere toon dan tijdens het eerste deel van het gesprek verder. Er lag berusting in zijn stem. 'Ik heb er met mijn moeder over gepraat. Ze luisterde naar me, ze liet me alles vertellen. Toen zei ze dat ze begrijpt dat jij er niet voor voelt om in zo'n kort tijdsbestek, zelfs al zou het vier of vijf maanden duren, met mij mee te gaan naar Wendelbach. Moeder stak ook nog een verhaal af over het huwelijk in het algemeen,'Jurriens lach klonk in haar oor, 'geven en nemen, begrip voor elkaar, liefde voor elkaar... Nou, ja, je kent die verhalen wel. Moeder wilde erover praten en ik liet haar praten. Ik weet gewoon zeker dat het goed gaat tussen ons.' Weer even stil-

te. Eveline voelde een heerlijke warmte in zich opkomen. Jurrien had besloten het plan Weldenbach los te laten. Hij koos voor haar.
'Ik had veel zin in het werk bij Bergermann, echt de bezigheden zoals ik die dolgraag wil uitvoeren, maar ik heb geen andere keus dan voor jou te kiezen, mijn lieveling, mijn Evelientje. Ik weet dat ik mijn leven lang ongelukkig zal zijn als ik jou loslaat. Jij hoort bij mij en ik hoor bij jou. Het klinkt mogelijk wat overdreven, maar op dit moment, in dit gesprek tussen ons, is het de waarheid die gezegd moet worden. Ik houd van jou. Ik verwachtte dat jij dezelfde gevoelens had als ik, waar we ook bij elkaar zouden zijn, op welke plek, wij zullen altijd gelukkig zijn. Wanneer zich dan een kans meldt zoals wat Bergermann ons aanbood, dacht ik, maakt het ons plaatje voor de toekomst volmaakt. Werken in een omgeving die mij veel kansen geeft, een prachtige woning, een uitstekend salaris. Naar mijn gevoel was het ideaal. Maar jij ziet en voelt het anders. Jij wilt in Voorberg blijven, alles vertrouwd om je heen.
Dus, mijn schat, mijn Eveline, is het besluit gevallen, ik blijf bij Gert Bakker. We maken plannen voor onze toekomst. Ik hoop dat je over net al te lange tijd de stap durft te zetten met mij te trouwen. We zoeken, en vinden, een leuke woning waarin we ons allebei thuis zullen voelen.'
'Ik ben heel blij met deze woorden, Jurrien, ik houd van je...'
'En ik weet dat de zekerheid, de overtuiging dat het goed is tussen ons, die ik al voel, ook voor jou zal komen.'

3

DE ZOMER GING OVER IN DE HERFST EN DE HERFST GING OVER IN DE winter.
In het voorjaar keken Jurrien en Eveline uit naar een geschikte woning.
Op een vrijdagmorgen aan het einde van de maand april zei Gert Bakker tegen Jurrien: 'Er was gisteravond een klein feestje bij Julius en Annemarie. Julius vertelde dat Thomas en Ellen hun huis willen verkopen. Ze gaan naar de nieuwste nieuwbouw! Je weet waar hun huis staat, aan het Van Amerongenplein. Een vrijstaande woning en, ook belangrijk, precies goed naar de zon gekeerd. Een heerlijk, licht huis. Ik heb, ja, waar bemoei ik me mee, maar het kan in dit geval goed zijn snel te reageren, ik heb gisteravond nog met Thomas gebeld. Ik vertelde hem dat Eveline en jij op zoek zijn naar een leuke woning. En het huis van Thomas en Ellen is een leuk huis. Hij heeft een bevriende makelaar gevraagd een redelijke schatting te doen, maar hij heeft nog geen opdracht tot verkoop gegeven. Hij vindt het prima als jullie langs komen om te kijken en te praten. Als jullie denken er een knus nestje van te kunnen maken en het over de prijs eens worden, bestaat de kans dat je het pand in eigendom krijgt. En,' Gert Bakker zei het lachend, 'ik ben meteen maar zo vrij geweest af te spreken wanneer je elkaar zult zien. Dat is zaterdagmiddag om twee uur. Thomas is een bezig mannetje, een afspraak met hem maken is dikwijls moeilijk.'
'Het Van Amerongenplein,'glunderde Jurrien, 'is een geweldige locatie. Ik ken het huis van Thomas Verplancke wel. Een leuk huis. Ik bel even naar Eveline om het haar te vertellen en te zeggen dat ze voor zaterdagmiddag geen afspraak moet maken.'
Eveline was op het handelskantoor Polz en Van Bijlo aan het werk toen de telefoon op haar bureau rinkelde. Ze nam op. 'Ja, Tessa, wat is er aan de hand?' Tessa, het meisje van de receptie antwoordde

licht lachend: 'Ik weet het niet, maar Jurrien waarschijnlijk wel. Hij is aan de lijn, ik verbind je door,' en daarop hoorde ze zijn stem: 'Hallo, Evelientje! Ja, ik weet dat je niet op je werk gebeld wilt worden, maar dit is belangrijk. Gert vertelde vanmorgen...'

'Zo, dat is leuk! Er staan mooie huizen aan dat plein!'

'Gert heeft heel voortvarend een afspraak tussen Thomas en ons geregeld; als we geen interesse hebben moeten we die afspraak zo snel mogelijk afbellen.'

'Nee, we gaan natuurlijk kijken! Ik vind huizen-kijken leuk, het is alleen jammer dat wat we tot nu toe gezien hebben tegenviel.'

'Ik kom vanavond naar je toe. Dan praten we verder. Morgenmiddag om twee uur heeft Ellen Verplancke het huis opgeruimd, de afwas staat in de machine...'

'Ja, stop maar. Tot vanavond!'

Tijdens de maaltijd vertelde Eveline haar ouders en Hans over het telefoontje.

'Zo,' ging haar vader er direct opin, 'leuk dat Gert Bakker direct aan jullie heeft gedacht toen hij van de verhuisplannen hoorde. Ja toch? En dan, de huizen aan het plein. Het zijn geen grote, maar wel gerieflijke woningen. Ze staan al een jaar of twintig. Er zal hier en daar iets gerepareerd of opgeknapt moeten worden, maar grote verbouwingsklussen zullen het niet zijn. Het belangrijkste wordt de prijs die gevraagd wordt en...'

'De telefoon rinkelde. Eveline zat het dichtst bij het toestel, ze stond op en nam de hoorn in de hand. Jurriens nerveuze stem praatte: 'Ik kom later, lieveling, er is hier één en ander aan de hand. Vader praat luid, ik wil het geen schreeuwen noemen, maar eigenlijk is het dat wel. Moeder huilt en Marit is door het dolle heen; ze is zo'n onbegrepen dochter!! Ik moet erbij blijven als de verstandige zoon des huizes.' Jurrien lachte toch even. Eveline hoorde boze stemmen op de achtergrond. 'Maar ik kom beslist. Tot straks, meisje van me.'

Eveline legde de hoorn terug. Marit... Er waren al enige tijd moeilijkheden rond Marit. Vorig jaar ontmoette ze Joost Slotenmaker op de markt. De verhouding was pril en voorzichtig begonnen. Van haar kant; Marit had nog nooit een vriendje gehad. Van zijn kant was het niet zo begrijpelijk na alles wat de familie hoorde over Joost. Ze praatten met elkaar, gingen naar de bioscoop en aten nu en dan iets in 'De dragonder'. Joost palmde haar langzaam in. Zijn donkere ogen hielpen daarbij. Marit kon ze niet weerstaan.

Toen hij voor de eerste maal met Marit meekwam naar huis om kennis te maken met haar ouders waren Anton en Marije Beekman niet echt enthousiast over hem geweest, door zijn achtergrond. Maar hij viel die avond toch wel mee. Hij praatte genoeglijk en vertelde over zijn werk en hij had een gezellige lach.

Toen hij was vertrokken zei vader Beekhuis: "Zo'n knaap noemen ze tegenwoordig 'een vlotte gozer'. Moeder Beekamn had geknikt, maar ze was niet blij met die omschrijving. Al gauw werd duidelijk dat Joost niet de jongen was die zij die eerste avond in hem hadden gezien. Joost wilde niet hand in hand met Marit naar het plantsoen wandelen en daar naast haar op een bankje zitten. En wat keuvelen. Zij dicht tegen hem aan en zijn arm om haar schouders. Dat laatste was wel prettig, maar de omgeving deugde niet. Eendjes met hun kopjes in het verendek gedoken in het gras langs de vijver, een windje ritselend door de bladeren van de struiken. Hij had een andere entourage in zijn hoofd. Maar de eerste drie avonden na hun kennismaking gebeurde dat wel, hij wilde haar veroveren, haar voor zich winnen. Toen Marit verliefd op hem was stelde Joost voor samen naar de plaats te gaan waar hij zich thuisvoelde en waar het gezellig was. Zij kende dat leven niet, maar hij wist zeker dat ze het er prettig zou vinden. Veel jonge mensen, tenminste in zijn groep, blijheid, vrolijkheid. En Marit ging met hem mee. Naar zijn voorkeur, de kroeg "De Bierbengel" in het Westerkwartier. Praten met vrienden en vriendinnen; alle mensen daar waren vrienden en vriendinnen begreep Marit en dat was toch heel bijzonder. Dolle verhalen, heerlijk lachen, een biertje drinken, meer biertjes drinken en laat in de nacht naar huis gaan. De vrienden namen Marit

·

onmiddellijk in hun midden op, een leuke meid toch, lekker smoel-
tje, welkom in de kring. Marit vond het gezellig in het café.
Luchtige gesprekken, blije mensen, veel lachen en Joost was de vlotte bink. En hij was haar vriend...

Haar ouders zagen het anders. Ze praatten met hun dochter. Eerst
rustig.

'Kind, jullie hangen rond in een café, het is een ordinair café. Alles
wat daar komt is cafévolk, er wordt veel te veel gedronken...' Marit
was het daar niet mee eens. 'Zo kijken jullie ernaar, maar jullie zijn
nog nooit in een café geweest! Dat is bij voorbaat veroordeeld terrein! Want het hoort niet! Maar het is er knots gezellig. We praten
over heel veel zaken. Over wat verkeerd gaat in de stad, over politiek, over scholen en noem maar op. Het gaat op een luchtige toon
en iedereen mag zeggen hoe hij of zij over dit of dat denkt.. Vrijheid
blijheid!! Er worden veel grappen gemaakt. Het is er altijd een vrolijke boel.'

Jurrien had Eveline erover verteld. 'Mijn moeder wilde het in de
beginperiode niet hard aanpakken. Wel praten over Joost, maar hem
niet meteen als een drankorgel bestempelen. Ze is bang dat Marit
dan juist nog vaker met Joost zal meegaan. Ze is verliefd op hem en
hij heeft er slag van een meisje om zijn vinger te winden. Hij heeft
bruine ogen. Er zijn bruine ogen en andere bruine ogen. Sommige
ogen zijn felbruin, een beetje stekend, die ogen vlammen als de
bezitter boos is. Joost heeft fluweelzachte bruine ogen. Hij kan er
een zoete, warme blik in leggen en dat doet hij als hij naar Marit
kijkt. Hij woont met zijn moeder is de Visserstraat. Die moeder
schijnt weinig te vertellen te hebben in haar eigen huis. Ze doet, om
de lieve vrede te bewaren, wat Joost wil. Ze kan niet tegen hem op.
Mijn moeder is bang dat, als mijn ouders te heftig optreden, Marit
met Joost meegaat naar zijn huis. En dan is zo verloren! Daar heeft
moeder gelijk in. Maar zo doorgaan kan ook niet. We hebben al
twee keer in alle vroegte van een zaterdagmorgen een stomdronken
vent over de vloer gehad. Gelukkig was hij toen het stel thuiskwam

té dronken om Marit bij zich op de bank te willen, het was een lichtpuntje dat zij in haar eigen bed lag! En Joost was te dronken om de trap op te klimmen...'

'Mijn hemel, Jurrien, hier aan moet wat gedaan worden! Dergelijke toestanden zijn jullie niet gewend en daar zijn jullie ook geen mensen voor.'

'Dat vinden wij ook, maar we weten niet hoe het aan te pakken. Ik heb voorgesteld om, als Joost weer dronken ons huis binnendringt, want dat is het gewoon, hij sloft met Marit mee, hij is niet uitgenodigd, dat begrijp je wel, om hem dan, vader en ik samen, naar buiten te slepen. We leggen hem op de stoep en bellen de politie. Dronken vent aan de Spanjaarddeef, kunt u hem even ophalen? Vader voelt er wel voor. Maar moeder wil niet dat dit gebeurt. Dan gaat Marit zeker naar de Visserstraat.'

'Misschien is dat niet zo'n slechte oplossing. Als ze ziet hoe hij zich tegenover zijn moeder gedraagt moeten haar ogen toch opengaan?'

'Ja. Maar moeder wil het niet. In dat huis kruipt hij zeker bij haar in bed. Moeder rilt al bij de gedachten. Er moet door andere mensen dan mijn ouders met Marit gepraat worden. Naar hen luistert ze niet. Haar ogen moeten opengaan voor de werkelijkheid, maar tot nu toe wil Marit de werkelijkheid niet zien. Dat Joost twee keer stomdronken is geweest praat ze niet goed, maar ze heeft er excuses voor. De eerste keer was het bier niet goed gevallen, de tweede keer werd hij ziek toen hij uit de warme kroeg in de koude nacht stapte. Dat kan gebeuren en dan is het onmenselijk zo'n zieke vent de straat op te sturen. Zo praat ze het goed, maar de oorzaak is natuurlijk dat Joost veel te veel drinkt.'

'Je vertelde over het plan van Jurrien, om, als het weer gebeurt, de knaap met zijn dronken kont op straat te leggen en dan de politie te bellen, openbare dronkenschap. Maar mogelijk is het een beter idee voordat die avond komt met de politie te praten. Op het bureau weet men meer van wat zich in cafés afspeelt dan wij brave burgers in onze huiskamer bij de televisie voor mogelijk houden. Waar-

schijnlijk kennen ze Joost Slotenmaker.'
'Ja,'reageerde Martha, 'dat is een goed idee, Jan! Je moet het Jurrien straks voorleggen. Er moet iets gebeuren! Op deze manier gaat dat meisje het verkeerde pad op!'
Tegen tien uur kwam Jurrien. Hij begroette Evelines ouders, zwaaide naar Hans en kuste zijn meisje.
Met een lichte zucht liet hij zich in een stoel zakken.
'Evelien heeft natuurlijk verteld waarom ik zo laat ben. Het is een nare geschiedenis.'Hij praatte erover, ze luisterden en toen een stilte viel bracht Jan Welkers zijn voorstel naar voren.
'Wij hebben daar ook over gesproken. Moeder voelt er wel voor, maar vader wil het beslist niet. Hij wil de politie buiten de deur houden. Mijn vader is bang dat hij, wanneer hij een gesprek aanvraagt met iemand van het korps, een man tegenover zich aan de gesprekstafel krijgt die heel anders over de geschiedenis denkt dan hij. Vader is een bezorgde vader, een man die het bezoeken van café-'s en bars afwijst, hoewel hij daar weinig over zegt. Hij vreest dat een politieman de vraag zal stellen: "Wilt u, in deze tijd, uw dochter van negentien jaar, verbieden naar een café of dansgelegenheid te gaan? Weet u wel hoeveel gezellige en beslist voor de mensheid niet slechte locaties er zijn om een fijne avond door te brengen?" Dat soort vragen en opmerkingen brengen dat vader Anton zich ongemakkelijk gaat voelen. Politiemensen denken anders en reageren anders. Begrijp me goed, vader heeft over een gesprek zoals ik dat nu op tafel leg niets gezegd, maar ik weet waar hij bang voor is. Maar waar het om draait, om onze Marit, zal zo'n man opmerkingen maken als: ze heeft de leeftijd om zelf te oordelen over haar vriend. Ze gaat vrijwillig met hem om. Ze ziet hem als hij dronken is.'
Ze begrepen wat Jurrien bedoelde. Moeder Martha zei nog wel: 'Jullie moeten de mogelijkheid de politie in de hand te nemen toch niet helemaal wegschuiven.' Daarna ging het gesprek over het huis aan het Van Amerongenplein.

Ze reden er de volgende middag in Jurriens wagentje heen. Aan het einde van de Kerkstraat zette hij de auto aan de kant. Het plein lag voor hen.

'Het is het huis recht tegenover ons. De witte vitrage is naar de zijkanten geschoven en er staan drie potten met planten voor het raam.'

'Ik zie het. Dat huis is het dus. Vreemd om naar een huis te kijken dat je nog nooit hebt gezien, maar waarin je misschien binnenkort zult wonen! Jurrien, het ziet er ruim en vriendelijk uit. Kom, we gaan er heen, ik ben zo nieuwsgierig!'

Ze werden hartelijk ontvangen door Thomas en Ellen Verplancke. 'Zullen we eerst een kopje koffie drinken?', stelde Ellen voor, 'dan vertellen we jullie intussen één en ander over het huis. We wonen hier met veel plezier, maar het wordt te klein voor ons. We hebben drie kinderen die, nu ze groter zijn, alle drie een eigen kamer willen hebben. Wij vinden dat ook nodig. Maurits en Janne zijn op de middelbare school, hebben veel huiswerk en moeten daar ongestoord aan kunnen werken. En Ronald heeft een eigen kamer nodig. En Thomas en ik willen nog ergens rustig slapen! Tel maar op, dat zijn al vijf vertrekken. Maar als elk lid van het gezin een eigen kamer heeft wil ik als de moeder, de spil van het geheel, dat ook! Een hobbykamer. Ik knutsel, ik teken, ik wil mijn spulletjes ergens veilig kunnen onderbrengen. We hebben een huis in de nieuwe wijk Zuiderveld gekocht. Daar gaan we wonen, maar dat houdt wel in dat we dit huis moeten verkopen. Het zal ons echt een beetje pijn doen. We woonden hier prettig. In de morgen, bij goed weer, schijnt de zon door de keukenramen en in de middag door de kamerramen. En altijd is op het plein veel van het leven in de stad te zien. Rijdende auto's, fietsende mensen en wandelaars. Je ziet het "van iets verder weg" zoals ik het noem, het flitst niet vlak langs de ramen.'

Thomas had intussen de koffiekopjes volgeschonken.

Na de koffie werd de woning bekeken. 'Want,' Thomas zei het lachend, 'je wilt toch zien wat je van plan bent te kopen.'

De eerste indruk was: een gerieflijk, goed onderhouden en gezellig huis.

Evelien voelde zich van vertrek tot vertrek warmer en blijer worden. Hier leven met Jurrien zou heerlijk zijn! In de morgen samen ontbijten in de keuken, thuiskomen na de werkdag in de ruime kamer, de weekenden er samen zijn. De woning ingericht met meubelen en spulletjes waartussen ze zich prettig en thuis voelden.

Terug in de huiskamer praatte Thomas Verplancke verder. 'Wanneer je kennissen vertelt over het plan je huis te verkopen noemen ze – als ze zelf geen plan tot koop hebben tenminste – de meest fantastische bedragen. Man, je krijgt er wel tweehonderdduizend voor! Ook sommige makelaars noemen je bij de eerste afsprak geweldige bedragen. Maar Ellen en ik zijn nuchtere mensen. We hebben verhalen van vrienden en familie gehoord over bedragen die makelaars aanvankelijk noemden, je ziet je zelf dan toch even als rijknekje, maar wat op je bankrekening overgemaakt wordt is de werkelijkheid. Frank Stevens is een goede kennis van ons. Hij is verbonden aan kantoor Henneman. We hebben hem gevraagd ons huis te taxeren. En dat heeft hij gedaan. Er kwam een bedrag uit dat dicht bij onze verwachtingen ligt en aan dat bedrag willen we ons vasthou den.'

Thomas noemde de som. Het kwam Jurrien en Evelien als redelijk voor en na nog wat 'loven en bieden' over klein onderhoudswerk wat zeker moest gebeuren, stelde Thomas de uiteindelijke prijs vast. Jurrien vroeg een week bedenktijd waarop Thomas antwoordde: 'Natuurlijk, jongelui. Wij weten al enige maanden dat we deze woning willen verkopen, jullie zien het huis deze middag voor de eerste maal. Denk er maar rustig over na. Een huis kopen is toch een belangrijke beslissing nemen.'

Ze verlieten de woning.

'Geen dartele sprongetjes van blijdschap,' waarschuwde Jurrien. 'Thomas staat achter de bloempotten. Achter de middelste. Een plant met rode bloemen. Hij kijkt ons na.'

Ze stapten in de auto en Jurrien reed in de richting van de Borgerlaan.

Op een ruime parkeerplaats zette hij de wagen neer. Hij legde een arm om haar schouder, trok haar tegen zich aan en kuste haar. 'Mijn lieveling, er borrelt een blij, opgewonden gevoel in me, dit huis is zo geschikt voor ons! Licht, ruim, praktisch, een vrije en niet te grote tuin, een slaapkamer met balkon! Het is een geweldig huis! We zullen het naar onze smaak inrichten.'

'Ja,'ze kroop dichter tegen hem aan, 'ik heb hetzelfde gevoel. Dit wordt echt ons huis!! En de prijs komt zelfs nog iets lager uit dan het bedrag waarop wij gerekend hebben. Boven drie prachtige slaapkamers; voor ons groot genoeg. En dan de schitterende badkamer!'

Eerst vertelden ze uitgebreid alles aan de ouders van Eveline, daarna reden ze naar de Spanjaarddreef om bij Jurriens ouders hun verhaal te doen. En na al dat vertellen stond natuurlijk vast: dit huis werd gekocht!

Ze praatten over de hoogte van de op te nemen hypotheek en de daarover verschuldigde rente. 'Ik heb een prima salaris bij Gert Bakker,' zei Jurrien en Eveline voegde daaraan toe: 'En ik blijf bij Polz en Van Bijlo werken. Ik heb het daar naar mijn zin. Over kindertjes denken we nog niet, er moet geld binnen komen. Maar dat is natuurlijk wel een wet van deze tijd, dat als jonge, werkende mensen in het huwelijk treden, ook de man meehelpt in het huishouden.'

Jurrien lachte. 'Ik zal na mijn plechtig en luid "ja" in het stadhuis in het bijzijn van de ambtenaar van de burgerlijke stand zeggen dat ik zal afwassen, aardappelen schillen, boodschappen doen en ...'

'Ja, ja,' lachte Eveline, 'durf je dat in het stadhuis te zeggen? En daarna in de kerk?'

'Ik denk niet dat dat bij de plechtigheid past.'

'Hoeft ook niet. Als je het mij belooft... Maar wij beloven,'er klonk opeens verontwaardiging in haar stem, 'ik schuif mezelf in de rol van huisvrouw, dat is natuurlijk onzin! Het is ons gezamenlijk huishouden en als we allebei een baan buitenshuis hebben moeten we dat thuiswerk samen aanpakken.'

'En dat zullen we doen.'Ze keken elkaar lachend aan, allebei vol goede voornemens.

Er werden plannen gemaakt en er was veel om over te praten. Zoals de trouwdag.

'Ik wil graag in het wit trouwen,' had Eveline al eerder aan haar moeder verteld. 'Het moet een mooie dag worden. Jurrien in een lichtgrijs kostuum, ik naast hem in een witte droomjurk. Allebei dolgelukkig. Dat zullen we ook zijn als Jurrien een knappe broek uit zijn klerenkast haalt, jasje erbij en als ik een leuk jurkje aantrek, maar een prachtig pak en een mooie bruidsjapon zullen de dag meer glans geven. Het is toch een belangrijke gebeurtenis in ons leven. We hopen en verwachten bij elkaar te blijven tot de dood ons scheidt, zoals het in de bijbel staat. Op onze trouwdag geven we elkaar die grote belofte, mam,'ze had het met een lachje gezegd, maar ze meende het ernstig, 'het wordt een belangrijke dag in ons leven.'

'Dat wordt het zeker, meisje. Wij gaan een prachtige japon uitzoeken en pap en ik zorgen ervoor dat de rekening betaald wordt.' Een omarming en een dikke kus was Eveliens antwoord.

Op een avond kwam Jurrien later dan anders in de Borgerlaan.

'Ik ben laat, maar het heeft, hoop ik, een goede achtergrond.' Jurrien knikte intussen naar Martha Welkers, dat knikje betekende: ja, graag koffie.

Hij vertelde verder: 'Er liepen vanmiddag twee jonge mensen in de zaak. Het leek een verliefd stel, armen om elkaar heen, wijzen en knikken naar een mooie eethoek, maar Bart van Berkel, één van onze verkopers, vertrouwde het niet. Hij dacht, dat vertelde hij ons later, laat ze maar even rondkijken, ik "schiet ze straks aan". Zo heet het bij ons als je op mensen afstapt met de vraag of je kunt helpen. Hij zag dat de jonge vrouw een beeldje van Josefine Hecker in de hand nam. De man pakte er ook één. De beeldjes van Josefine Hecker zijn heel apart, heel bijzonder, heel mooi, maar ook heel duur. De verkopers koesteren en bewaken ze. Er is over gesproken de beelden achter glas in een vitrine te zetten, maar Gert is soms een gevoelig en romantisch mens en hij zei toen dat juist het in de hand nemen van zo'n beeldje, de vormen voelen, de uitdrukking op het gezichtje zien, de mensen het verlangen geeft het te willen hebben. En, dan komt de zakelijke Gert weer te voorschijn, dan kopen ze het. Maar het is voor de verkopers wel een zorg. Verder met wat gebeurde. De jongelui keken allebei verheerlijkt naar de beeldjes. Bart seinde, dat doen de jongens met hun ogen, naar Klaas Hiemstra "opletten, gevaar". Klaas knikte, hij had het begrepen. Bart deed alsof hij iets wilde pakken, maar hij hield het tweetal in de gaten. De jongeman keerde zich om, opende een tas en snel lieten ze de twee beeldjes in de tas glijden. Klaas gaf Gert Bakker het teken: politie bellen. De jongelui liepen in de richting van de winkeldeur. Op dat moment kwam ik van de trap af. Ik zag en voelde dat er iets aan de hand was en ik liep met Bart achter het tweetal aan. Buiten de deur hielden we ze vast. Snel kwamen twee politiemensen. Eén nam het tweetal in de politiewagen mee, de ander wilde weten wat er gebeurd was. Het was een sympathieke man. Niet zo jong meer; hij handelde alles rustig af. Diefstal, een dagelijks onderwerp voor het korps. Hij zei nog wel "mooie beeldjes trouwens". Bart bracht de beeldjes terug naar hun plaatsjes en ik maakte een praatje met de agent. Ik bracht het gesprek op mijn zus. Rustig, keurig meisje, weinig ervaring in het leven, maar wel veel vertrouwen. Ik vertelde over haar vriendje. Kende hij zijn naam? Ja, Joost Slotenmaker. De agent ging er op in. Joost is een vaste kroegloper, maar dat is iets wat hij mag doen als er geen nare dingen als vechtpartijen uit voortkomen. De politie kent hem omdat ze twee tot driemaal gealarmeerd door de buren naar de Visserstraat zijn gereden omdat Joost bij zijn thuiskomst in de nacht dreigde zijn moeder te mishandelen omdat ze hem niet binnen wilde laten.

De agent stelde vast: 'Het is geen geschikte vriend voor uw zusje. Voor een andere vrouw of meisje trouwens ook niet."

Ik vertelde dat er thuis over was gesproken de politie in te schakelen, wij leerden vroeger toch "de politie is je beste vriend?" Daarop knikte hij goedig. Ik praatte over de angst van mijn vader voor een gesprek meteen politieman. Hij knikte weer even en zei lachend: "Daar zit wel iets in. Wij kijken anders naar het cafégebeuren. Maar de omgang van uw zusje met die jongen is niet goed."'
Jurrien lachte opeens. 'Om een lang verhaal kort te maken, die agent komt donderdagavond naar ons huis om Marit te waarschuwen voor Joost. Ik ben ervan overtuigd dat deze politieman, hij heet Schippers, het goed zal aanpakken.'
'Dat is geweldig,' reageerde Eveline. 'wat vinden je ouders ervan?'
Vader was eerst boos. Hij heeft me nadrukkelijk gezegd geen inmenging van de politie te willen; hij heeft duidelijk gezegd waarom niet, maar nu draait het daar toch opuit. Ze vrezen beiden dat Marit zich van alle waarschuwende woorden niets zal aantrekken en moeder is ervan overtuigd dat ze woedend op mij zal zijn als ze weet wie deze poppenkast heeft aangezwengeld. Ik dus. Maar waar bemoei ik me mee!! Maar hoe de avond ook verloopt, de woorden van agent Schippers zullen tot haar doordringen.
'Dat is te hopen. Er moet iets gebeuren. Zo gaat Marit de verkeerde weg op.'

Voor de donderdagavond was wat Marije Beekman als grapje noemde, in een poging ontspanning te brengen in het gevoel van grote onrust om hen heen, een draaiboek gemaakt. Op de donderdagavond bleef Marit meestal thuis. Agent Schippers had gevraagd zijn komst niet aan Marit bekend te maken omdat ze dan waarschijnlijk vóór hij op de deurbel drukte al uit het huis was vertrokken. Dat begrepen ze. "Ik overval haar," zei Schippers, "ik zal het als een soort verhoor brengen, maar dat is het natuurlijk niet. Ik wil alleen met haar praten."
Even voor acht uur klingelde de bel. Vader Anton liep naar de gang en liet de agent van politie binnen. Hij opende de kamerdeur.

Marit zat op de bank. Ze had een lichtblauw vrijetijdspak aangetrokken en warme sokken aan de voeten geschoven; ze bleef vanavond thuis. Joost trainde met het derde elftal van de plaatselijke
voetbalclub. Ze had een boek van Jettie geleend. Volgend Jettie was
het een spannend verhaal. Een rustig avondje dus. Haar ouders wilden kijken naar een documentaire over het leven van dieren in een
wildpark in Afrika, maar daar had zij geen belangstelling voor. Zij
dook lekker weg in het boek, kopje koffie van moeder erbij, een
koekje uit het trommeltje; het werd een kneuterige avond.

Ze keek danook verbaasd op toen er een politieman, gevolgd door
haar vader, de kamer binnenstapte.

Johan Schippers liep met uitgestoken hand en een vriendelijk lachje op zijn gezicht naar haar toe. 'Jongedame Beekman, mijn naam is
Schippers,' stelde hij zich voor, 'ik wil met je praten.'

Marit stelde zich meteen in de verdediging. 'Met mij praten? Waarover? Hebt u hier opdracht voor gekregen van de commissaris? Mag
ik daar een bewijs van zien? Ik wil weten wat ik heb misdaan om
naar u te moeten luisteren.' In het café had ze van de jongens
gehoord hoe opdringerig politiemensen van je af te schudden. Je
moest in elk geval niet bang zijn. Die lui waren over het algemeen
meer uniform dan flinke kerels.

'Laten we het erop houden dat ik met je wil praten.'

Vader verliet de kamer, moeder zat in de keuken. Jurrien leunde
tegen het aanrecht.

'Als dit maar goed afloopt,' zuchtte Marije Beekman, 'Marit snapt
drommels goed wat de bedoeling van dit bezoek is en jullie weten
hoe heftig ze te keer kan gaan.'

'Schippers weet hoe hij het moet aanpakken. Hij heeft ervaring met
dit soort toestanden. Burenruzies, echtelijke twisten, noem maar op.
Het is een man met overwicht. Dat brengt hij beslist op Marit over.'
Ze wachtten af.

De volgende avond kwam Jurrien naar de Borgerlaan en vertelde hoe de donderdagavond was verlopen.

'Het was een rare situatie. Wij zaten gespannen aan de keukentafel, moeder had thee gezet. We wisten niet wat zich in de huiskamer afspeelde. Marit had de politieman fel en vijandig te woord kunnen staan, maar er drongen geen luide woorden tot in de keuken door. We namen aan dat ze naar Schippers luisterde.

Even na half tien hoorden we de deur van de kamer naar de gang open en weer dichtgaan. Vader trok de deur van de keuken naar de gang open, hij zag dat het Schippers was die de kamer had verlaten. Hij liep snel naar hem toe. Schippers vertelde op fluistertoon dat hij, toen het gesprek begon, wat angst had gevoeld over het verdere verloop. Marit had hem vrij heftig ontvangen. Maar ze luisterde naar hem. Ze knikte geen "ja" en ze schudde geen "nee", ze luisterde. Schippers had het gezegd in de woorden: ze hoorde mij aan. Ze wachtte af tot ik weer vertrok. Maar het horen van alles wat ik over Joost Slotenmaker vertelde moet haar een ander beeld van de jongen hebben gegeven.'

Na deze woorden opende Schippers de voordeur en vader kwam snel terug naar de keuken. De voordeur sloeg dicht. Direct daarop ging de deur van de kamer naar de gang voor de tweede maal open, we hoorden snelle voetstappen op de trap en een deur die daar dichtsloeg. Marit was naar haar kamer gerend. We keken elkaar aan en moeder merkte op: "Nu weten we nog niets. Het enige pluspunt is dat het praten vrij rustig is verlopen. We hebben geen geschreeuw gehoord"

Ze zweeg even en vroeg toen: "Zou ze nu snikkend in bed liggen na alles wat Schippers haar over Joost heeft verteld? Ze weet dat een politieman als Schippers de waarheid kent." Waarop vader antwoordde: "Dat is te hopen. Dan weet ze wat voor waardeloze vent Joost is."

We gingen heel laat naar bed. Van slapen zou toch niet veel komen. We praatten wel over wat gebeurd was, maar eigenlijk wisten we niets.

Toen vader en moeder eindelijk naar boven gingen bleef moeder voor de deur van Marits slaapkamer staan om te horen of er enig geluid naar buiten kwam. Maar het was en het bleef stil. Er scheen geen licht onder de deur door.

Vanmorgen stond moeder vroeg op, vader kwam beneden en schoof aan de keukentafel. Marit kwam de trap af, ze griste haar jack van de kapstok, liep door de keuken zonder een woord te zeggen en zonder hen een blik waardig te keuren. Ze pakte haar fiets uit de schuur en fietste weg. Een grote sporttas op de bagagedrager. Moeder liep meteen naar boven, maar dat was eigenlijk niet nodig want het was te raden wat in die sporttas zat. De deur van de slaapkamer stond open. Uit de kast waren veel kleren verdwenen. Ze heeft waarschijnlijk vannacht, om drie of vier uur, die tas naar de schuur gebracht. En verder,' Jurrien zuchtte bij het einde van zijn relaas, 'is er niets gehoord. Het ligt voor de hand dat Marit naar de Visserstraat is gegaan. Of ze zwerft in de stad. Er is geopperd dat ze bij één van de kroegvriendinnen is. Maar we denken dat ze naar Joost is gegaan.'

'Ik heb een naar gevoel van binnen,' praatte Jurrien na een korte stilte verder. 'Ik had verwacht dat Marit naar iemand van de politie zou luisteren omdat die man de waarheid achter Joost Slotenmaker kent. Bij wat ze hoorde zouden haar ogen opengaan. Misschien vreemd dat ik dit dacht, waarschijnlijk omdat ik het zo graag wilde. Ik was te optimistisch. De vrienden en vriendinnen in het café denken anders over de politie dan wij, brave burgers. Maar mijn denken kwam voort uit het weten dat Marit eigenlijk een keurig meisje is. Goed opgevoed, met normen en aarden waarin ze gelooft. Ze is door Joost met lieve woorden en smachtende blikken overrompeld en ingepalmd. Maar nu ze een verstandige man als Schippers hoorde vertellen besefte ze opeens dat die man gelijk had. Ze keek door alle gebeurtenissen van de laatste maanden heen. Maar dat is dus niet zo. Volgens Schippers heeft Marit hem laten praten. Ze hoorde zijn woorden wel, maar ze reageerde er niet op. Ze liet ook niet blijken of ze hem geloofde of niet. Toen hij aan het einde van het gesprek zei: "Je weet nu genoeg," antwoordde ze met een lachje: "Ja, ik weet genoeg." Schippers verwachtte dat die woorden inhielden dat zij geloofde in wat hij had verteld, maar we weten nu dat ze liet merken dat ze weet wat zij voor Joost voelt en hij voor haar en dat ze daar blij mee is. Zoals ze ook het gevaar niet inziet van te veel cafébezoek en te veel drinken. Ze vindt het gezellig in de kroeg.'

'Je hebt spijt dat je dit hebt aangehaald.'

'Ja, inderdaad. Ik praatte met Schippers na het gebeuren met de beeldjes en omdat er thuis over gesproken was er iemand van een of andere hulpverleningsorganisatie bij te halen, dacht ik: dit is de juiste man om het te doen. Schippers is een sociaal denkend mens. Hij begreep onze ongerustheid over waarmee Marit bezig was, hij dacht: als ik door een gesprekje dat meisje tot een andere kijk op de zaak kan brengen wil ik dat wel doen. Ook een soort welzijnswerker dus. Vader wilde niet dat dit gebeurde. Hij zei dat Marit wat dit betrof op haar moeder lijkt, mijn tante Lenie. Juist als ze tegenge- werkt worden strijden ze fel en moedig terug. Als Marit hoort, mis- schien heeft Schippers verteld wie de uitvinder van dit gesprek was, zal ze vreselijk boos op me zijn. Dat is op zich niet erg, ze is vaker boos op me geweest. Ik trouwens ook op haar, maar dat waren ruzietjes tussen broer en zus. We zijn nu ouder en dit gaat veel die- per. Ze zal het me niet snel vergeven. Maar de zaken liggen nu een- maal zoals ze liggen. Het is gebeurd. Het was mogelijk beter geweest niet te doen. Maar aan de andere kant, bijna alle dingen hebben toch twee kanten,' Jurrien glimlachte even, 'is het goed dat Marit weet wat voor persoon Joost Slotenmaker is. Ookal zal ze dat nu niet inzien, er moet een klein plekje, heel achteraf in haar gedachten zijn waartoe het is doorgedrongen.'

4

Intussen was alles met betrekking tot de koop van de woning in gang gebracht. Een afspraak met de notaris voor overdracht stond genoteerd en ook voor de trouwdag was alles geregeld. Het huis aan het Van Amerongenplein was hun huis. Het werd schoongemaakt, moeder Martha en moeder Marije sopten en lapten, aannemer Stoutendijk verrichtte kleine reparaties, schilder Havinga en zijn maatje kwamen schilderen en behangen. Jurrien en Eveline kochten meubelen, zochten gordijnen uit – dat was nog moeilijk kiezen – en alles wat verder nodig was voor de inrichting van de woning.

Ook voor de trouwdag was 'alles in kaart gebracht'. Op het stadhuis waren afspraken gemaakt over de dag en datum en met dominee Van der Wielen werd gepraat over de trouwplechtigheid in de kerk. Dominee vertelde welke spreuk hij in gedachten had voor de preek, een speciaal voor hen bestemde preek natuurlijk. Jurrien en Eveline waren er blij mee.

Maar wat onbezorgde, blije weken hadden moeten zijn werden voor het bruidspaar, de ouders en familie overschaduwd door de afwezigheid van Marit. Ze was die vrijdagmorgen vertrokken zonder haar ouders een blik waardig te keuren en ze was niet meer naar huis teruggekeerd. Ze had ook niets van zich laten horen. Het was bekend dat ze in de Visserstraat bij Joost en zijn moeder was ingetrokken.

Anton en Marije hadden nog gesproken over de mogelijkheid naar dat huis te gaan om te proberen contact te leggen. Hoe weinig ze er ook van verwachtten, het zou een openingetje kunnen betekenen naar Marit toe, het zou haar gedachten kunnen vasthouden en zo voor haar een teken zijn van het verbond tussen hen, ouders en kind... Maar na praten en nog eens praten werd het voornemen afgeblazen. "Wij zien het emotioneel, Anton, wij voelen het verlies van onze dochter en we maken ons grote zorgen over haar; wat gaat er in de toekomstgebeuren, maar Joost Slotenmaker denkt daar anders over. Hij wil, ik zeg het grof, die meid in zijn bed, die meid mee naar het café! Misschien denkt hij ook aan haar maandsalaris bij Modehuis 'Patricia'. Als die vent aan de deur komt en hij wil Marit niet laten gaan? En zij wil niet bij hem weg. Wat gebeurt er dan? We hebben gehoord dat zijn handen heel los aan zijn lijf ziften! En Marit tegen haar zin uit de woning halen brengt beslist geen oplossing. Ze moet zelf inzien hoe fout haar keus is. En dan is ze mans genoeg om te vertrekken, dan houdt Joost haar niet tegen."

Marije Beekman had een mevrouw gesproken die ook in de Visserstraat woonde, niet ver van de Slotenmakers.

"Vroeger was het een goed gezinnetje," vertelde die mevrouw, "Joost was wel een opschepperig ventje, hij wist alles beter dan de andere jongetjes uit de straat en hij kon ook alles beter. Veel praatjes en plannetjes, maar als er iets gebouwd of gedaan moest worden in het buurtgroepje kwam hij niet opdagen. En als hij gevaar vermoedde, een boze buurman omdat ze kattenkwaad uitgehaald hadden bijvoorbeeld, was Joost als eerste vertrokken. Gauw naar huis en de schuif op de achterdeur.

Mijn man zei dat zijn gedrag een teken was van domheid. Joost wist drommels goed dat hij niet echt kon meekomen op school, maar door bravoure naar buiten uit de stralen wilde hij zichzelf laten geloven dat hij wél iets voorstelde.

Toen Jaap Slotenmaker nog leefde ging het goed met het gezin. Die man hield het heft stevig in handen. Hij werd ziek, er werd kanker geconstateerd en het is een lijdensweg van bijna twee jaar geworden. Mieke Slotenmaker hield veel van haar man. Ze heeft het moeilijk gehad met zijn ziekte en zijn dood. Voor Joost was de dood van zijn vader een ramp, ookal begreep hij dat waarschijnlijk zelf niet. Zijn vader was altijd een grote steun voor hem geweest. Hij pakte de jongen flink aan als hij te wild of te vervelend werd. Als de nood op zijn hoogst werd hielp Jaap hem uit de nesten. En Jaap zei hem, vaak met heftige woorden, de waarheid. Jaap had iets van "tot hier en niet verder". In die tijd van Jaaps ziekte raakte de jongen stuurloos. Moeder Mieke had niet de kracht hem stevig aan te pakken en ook, in die nare tijd, had ze te weinig tijd en aandacht voor hem. Toen Jaap was overleden is het nog een poosje goed gegaan. Maar daarna ging Joost met verkeerde vrienden om, volgens de theorie van mijn man dan, hou me ten goede, verkeerde vrienden die zelf voelden dat ze niet naar een baan hoog op de ladder hoefden te solliciteren. Ze kregen die baan toch niet. Ze wisten dat ze het niet zouden redden in de maatschappij zoals ze dat wel wilden. Mogelijk hadden ze er plannen en dromen over. Ik weet niet of het echt zo was, maar zo voelde Piet het. Het was min of meer, hoe zeg ik het, al teleurgesteld zijn in het leven nog voor dat leven echt begint. Dat is natuurlijk niet leuk. Bij diepgaande gesprekken over politiek en geldzaken wisten ze niet echt waarover anderen het hadden. Die jongens en meisjes vonden elkaar in het café.

De laatste jaren gaat het niet goed tussen moeder en zoon. Joost komt vaak dronken thuis, dan is hij zijn stuur kwijt, zoals Piet en ik het noemen. Hij moet ergens zijn stille boosheid kwijt en het slachtoffer is zijn moeder. Ze sluit zich elke avond op in haar slaapkamer om hem te ontlopen. Hij komt nu en dan met een meisje thuis, want het is een knappe vent en als hij nuchter is kan hij heel lief en aardig zijn. Ik vermoed dat hij wil dat zijn moeder het huis uitgaat om hem meer vrijheid te geven. Maar Mieke is nog veel te jong om naar een bejaardenhuis te gaan en een andere woning krijgt ze niet toegewezen. Ze heeft me verteld, af en toe praten we met elkaar, het is een lieve vrouw, een vrouw om medelijden mee te hebben, dat ze wel een man wil ontmoeten en ze wil dan graag bij hem wonen. Alle narigheid uit de Visserstraat achter zich laten. Maar ze wil wel een kerel kiezen die haar aanstaat! Daar heeft ze toch volkomen gelijk in?! Ik weet nog hoe blij Jaap en zij waren met de geboorte van hun zoontje, de hemel ging bij wijze van spreken voor hen open, maar nu heeft ze vaak verdriet en narigheid om datzelfde jochie.'

Tijdens het uitschrijven van de aankondigingen van hun huwelijk zei Jurrien: 'Ik wil een kaart naar Marit sturen; vind je dat goed?' Eveline keek op van de naamlijst. Het verbaasde haar wat hij had gezegd, een kaart naar Marit sturen... Je kon op je vingers natellen dat zij niet naar het stadhuis en nog minder naar de kerk zou komen. 'Waarom eigenlijk niet? Het is jouw zus. Ze hoort er die dag bij te zijn en als ze een kaart krijgt weet ze in elk geval wanneer de grote dag is. Kwaad kan het beslist niet.'

'Ik heb soms het gevoel dat Marit spijt heeft van wat ze heeft gedaan. Niet direct omdat ze voor Joost heeft gekozen, ze was echt verliefd op hem en waarschijnlijk is ze dat nog, liefde heeft een sterke kracht, maar vooral spijt omdat ze zonder een woord tegen vader en moeder te zeggen is vertrokken. Dat was toch schandalig! Voor mij telt nog iets mee. Het feit dat ze weet wie Schippers op haar heeft afgestuurd. Ik dus. Ze neemt het me beslist heel kwalijk. Dat is niet prettig om te weten. Marit en ik hebben het altijd leuk gehad als broer en zus. We konden elkaar ook geheimen toevertrouwen. Over dingen praten die ons dwars zaten, maar waarover we niet tegen vader en moeder wilden beginnen uit angst dat zij er meteen een hele heisa omheen bouwden. Een ruzie met een kind op school bijvoorbeeld, daarover praatten we thuis niet, want papa en mama wilden dan meteen met de ouders van dat kind praten. Dat vonden wij niet nodig. Het ging vanzelf voorbij.

Als Marit weet van onze trouwdag zal het haar pijn doen er niet bij te zijn. Ze zal denken: "Die sukkel, om zo'n politievent op mij af te sturen...", maar aan de andere kant doet het pijn die dag met de familie te missen.'

'Het kan geen kwaad haar een kaart te sturen. We doen het gewoon.' En zo schreef Jurrien op de enveloppe: Aan Marit Beekman... Het adres van Joost eronder.

'Er zijn een paar mensen die ik ná onze trouwdag een kaart wil sturen. Het zijn luitjes waarmee ik goed kan opschieten. Maar, dat speelt een rol, ik koop veel bij hen. Dat maakt me tot een man die ze graag zien komen. Los daarvan is een prettige band tussen ons gegroeid. Als we ze bericht van ons voorgenomen huwelijk sturen, zo heet dat, komt een deel ervan op de receptie. Bloemetje mee. "Hè, ouwe jongen, mooie bruid, van harte gelukgewenst met deze grote stap!" Het is goed bedoeld, maar het hoeft wat mij betreft niet. Ik wil ze wel laten weten dat ik in de huwelijksboot ben gestapt. Dan hoef ik dat bij mijn volgende bezoek niet te vertellen. En weet je wie ik ook zo'n kaart wil sturen? Joris Veldkamp.'

'Dat is een goed idee. Ik zou het trouwens wél leuk vinden als hij naar de receptie kwam. Zijn broer heeft je verteld dat hij graag een vriend in je wil zien. Hij zal blij zijn met een uitnodiging. Ik zie meer in Joris dan alleen de jongen die in zijn jongensjaren de droom koesterde acteur te worden. Er zijn veel jongens en meisjes die in die jaren van hun leven een droom koesterden. Het is absoluut niet abnormaal. Ik zie de goede eigenschappen in Joris!'

'Weet je wat we doen? We sturen hem een "achterafkaart". Daarop nodigen we hem uit bij ons langs te komen. Als we ons telefoon-nummer erbij zetten belt hij beslist om een afspraak te maken.'

De trouwdag werd een prachtige dag. Het was een stralende dag in juni. Al vroeg in de morgen scheen de zon.

In huize Welkers heerste een behoorlijke drukte, maar er was ook een vrolijke stemming, want, realiseerde Eveline zich, het niet aan-wezig zijn van de zus van Jurrien werd hier niet zo diep gevoeld.

Alles verliep naar wens. De rit naar het stadhuis, de vriendelijke, maar toch ernstige toespraak van de ambtenaar van de burgerlijke stand, het tekenen van de aktes, daarna de rit naar de kerk. De ont-vangst bij de wijd geopende deuren van het Godshuis door de domi-nee, het lopen door het middenpad, vrienden en familie die hen blij toeknikten.

Een drukke receptie en een gezellige avond. Tegen twee uur in de nacht bracht Hans hen naar hun woning. In de loop van de volgende middag vertrokken ze voor een korte vakantie naar een prachtig hotel in de Ardennen, om bij te komen van alle drukte en belevenissen.

In hun slaapkamer zei Jurrien blij: 'Vrouw van me, we zijn als man en vrouw in ons eigen huis! Ik ben zo gelukkig en ik weet dat jij ook gelukkig bent; je straalt! Onze levens zijn aan elkaar verbonden en niet alleen door ons "ja" in de trouwzaal van het stadhuis. Dat was een plechtig moment, maar het stelt niets voor. Als jij bij me wegloopt haalt niemand je op om je terug te brengen. En omgekeerd is dat ook zo. Ons jawoord in de kerk is voor ons belangrijk. Ten overstaan van de gemeente hebben we aan God onze trouw en zorg voor elkaar beloofd...'

'Jurrien!!', riep Eveline verbaasd, 'wat ben je ernstig! Lieve jongen, we zijn getrouwd, we stappen in ons nieuwe, brede, mooie, zachte bed, jij als mijn man en ik als jouw vrouw en nu kom jij met zulke zware woorden...'

'Ja, lieveling, ik ben emotioneel. Deze dag is voor ons heel belangrijk. Ik houd zoveel van je, mijn lieve Evelientje, vanaf het moment waarop ik je na meer dan twee jaren weer zag wist ik dat jij dé vrouw voor mij bent. Van het meisje Welkers, het zusje van Hans, was je opeens een schoonheid geworden en ik zag zoveel liefde in je. Ik wist het meteen zeker: zij is het voor mij! En nu is alles waarheid geworden, man en vrouw in onze eigen slaapkamer.'

Drie weken later, terug uit Mariembourg, stond Eveline in de keuken. Ze was nu naast fulltime medewerkster bij Polz en Van Bijlo – werktijden van negen tot vijf – ook huisvrouw.

Om zes uur sloten de deuren van 'Het Woonhuis' en hoewel Jurrien niet in de winkel werkte was hij toch elke dag voor of achter de coulissen tot zes uur bezig.

Dus, het lag voor de hand, zij zorgde in elk geval van maandag tot en met vrijdag voor de maaltijden. Een voordeel was dat ze koken en bakken leuk vond om te doen en moeder Martha had haar veel kleine foefjes en handigheidjes geleerd om van de maaltijden iets bijzonders te maken. Jurrien was enthousiast over haar kookkunst. Eveline begreep heus wel dat in zijn woorden een flinke dosis opgeklopte hulde was verborgen. Hij wilde haar bejubelen, een lekkere maaltijd om half zeven viel er goed in. Ze had er een glimlach voor, maar ze vond zijn houding toch lief en leuk.

Ze prikte die avond in een aardappel die danste in het kokende water in de pan. Bijna gaar. Kijken op de klok. Jurrien kon elk moment thuiskomen, keurig op tijd dus.

In de woonkamer rinkelde de telefoon. Ze draaide de knop van de kookplaat onder het pannetje naar een iets lagere stand en liep naar de kamer.

'Eveline,' klonk de heel opgewonden stem van haar schoonmoeder in haar oor, 'is Jurrien al thuis? Nee? Ik zeg het jou!! Marit is thuisgekomen!! Vanmiddag!! Opeens stapte ze de keuken binnen! Ik wist niet wat ik zag! Ze huilde, ze vroeg of ze na alles weer thuis mocht komen en natuurlijk mag ze dat! We willen allemaal dat ze weer thuis is! Ik ben zo blij, papa en ik zijn zo blij! Ik wist niet wat ik moest zeggen of moest vragen, maar ik hoef ook niets te zeggen en te vragen. Ze is weer thuis! Ik vond het dom te vragen waarom ze was gekomen, zo'n zotte gedachte speelde toch door mijn hoofd, maar het ligt natuurlijk voor de hand dat er tussen Joost en haar iets is gebeurd wat deze vlucht terug naar huis mogelijk heeft gemaakt. En wat dat was kan me op dit moment helemaal niets schelen. Marit is weer bij ons.

Ik weet niet hoe ze zich voelt. Ze ligt nu op de bank. Ze slaapt. Ze ziet er verdrietig uit, meer nog teleurgesteld. Ze wil vanavond als papa thuis is en jullie hier komen één en ander vertellen. Dus ik vraag jullie: komen jullie tegen acht uur?'

'Ja, natuurlijk komen we! Jurrien zal blij zijn en ik ben ook blij. Wat er ook is gebeurd, dat doet er niet meer toe, Marit is terug! Ik ga snel naar de keuken, anders branden de aardappels aan. Dat is nu in uw ogen misschien totaal onbelangrijk, maar Jurrien vindt aangebrande aardappels niet lekker. Ik trouwens ook niet.'

Van de andere kant van de lijn klonk een luide lach. 'Goed meisje, tot straks.'

Ze hoorde Jurriens auto de parkeerplaats naast het huis oprijden. Het dichtslaan van een portier, snelle voetstappen over het tegelpad. Ze liep hem tot in de bijkeuken tegemoet. 'Jurrien, zo fijn, ik ben zo blij, jij zult ook blij zijn, Marit is weer thuis!'

Hij sloot haar in zijn armen. Ze voelde het trillen van zijn lijf. Zijn stem hakkelde: 'Is het echt waar? Is Marit weer thuis?! Wat heerlijk.'

Met de armen om elkaar heen – even wringen bij de deuropening, te blij om elkaar los te laten – naar de keuken.

'Vertel. Hoe weet je het en wat is er allemaal gebeurd?'

'Je moeder belde dat ze vanmiddag opeens de keuken binnenstapte en vanavond vertelt Marit wat er tussen Joost en haar is voorgevallen. Moeder Marije vroeg of wij ook komen.'

'Natuurlijk gaan we er heen! Ik ben nieuwsgierig naar haar belevenissen met die gozer. Nieuwsgierig is het goede woord niet want we weten wat er gebeurd is. De eerste weken van Marits verblijf in dat huis heeft Joost zich, dat kunnen we wel aannemen, goed gedragen. Ze stapten samen naar "De Bierbengel", maar hij dronk niet teveel want hij wist wat hij die avond nog met Marit wilde beleven. Een mooie, jonge vrouw tussen de lakens, zo noemen de mannen dat, dan moet je niet dronken zijn. Maar alles wordt een heel klein beetje gewoon, ook vrijen. En de drank laten staan is voor een jongen als Joost moeilijk. Dat houdt hij niet vol. En hij kon Marit op maandag en woensdag pakken, ik noem maar een paar dagen, in de weekenden lokte de drank weer en zijn kornuiten hadden er aardigheid in hem dronken te voeren. Ik kom nooit in een kroeg, maar ik weet wel hoe het daar toegaat met de ruige klanten! Toen begon de narigheid tussen Joost en Marit. Herrie in huis, schelden en ruzies en opeens gingen de blauwe ogen van mijn zus goed open en besefte ze in wat voor wereldje ze terecht was gekomen. Drank, scheldpartijen, gooien en smijten met moeders spulletjes, overgeven, kots en narigheid om haar heen.'

'We hoeven niet meer naar de Spanjaarddreef te gaan,' Eveline zei het lachend, 'jij kent het verhaal al.'

Jurrien zat intussen aan tafel, Eveline had hem aangehoord, ze glimlachte zachtjes om zijn opgewonden woorden, hij zag de toestanden in de Visserstraat voor zich afspelen. Ze zette de schalen op de tafel. 'Lekkere aardappeltjes. En sla en komkommer. Het ziet er goed uit, huisvrouwtje van me. Wil je geloven dat ik opgewonden ben over dit grote nieuws? Want het is onvoorstelbaar wat er uit dergelijke toestanden kan voortkomen. Vader Anton en moeder Marije zullen blij zijn...'

In de avond reden ze naar het huis aan de Spanjaarddreef, nummer negenenveertig.

Door de keuken naar de kamer. Eveline liet Jurrien voorgaan. Het was zijn zus die naar huis was teruggekeerd en hij had zich schuldig gevoeld omdat hij, want zo was het toch, haar vlucht uit het ouderlijk huis had veroorzaakt. Ze volgde hem.

Marit stond op en liep op haar broer toe. 'Jurrien,' ze huilde, ze hing tegen hem aan, 'ik ben blij dat ik weer thuis ben en dat ik jou weer zie en Eveline.'

Na dikke zoenen gingen ze zitten.

'Ik zal vertellen wat er is gebeurd. Dan weten jullie alles. Reken er maar op dat het laat wordt vanavond. Ik was die donderdagavond verbaasd omdat de politie erbij gehaald werd; wie haalde dat nou weer in zijn domme kop! Een politie-kukel die mij kwam vertellen dat Joost soms te veel dronk, nou, dat wist ik zelf ook wel! Maar Joost was zonder te veel drank een ontzettend lieve jongen. Ik was smoorverliefd op hem. Ik smolt weg als hij naar me keek. Joost heeft prachtige bruine ogen en hij kan zo lief kijken! Hij kuste met zoveel gevoel en liefde... Na die malle donderdagavond en een nacht van me heel kwaad maken, echt kwaad door de bemoeizucht ben ik vroeg in de morgen de stad ingegaan. Ik heb in een lunchroom twee kommen koffie gedronken en een broodje gegeten. Eten en drinken moet doorgaan om in leven te blijven.' Marit zei het lachend, maar snel weer ernstig praatte ze verder: 'Daarna fietste ik naar de Visserstraat. Naambordjes kijken, dit huis moest het zijn. Na mijn bellen opende een vrouw de deur. Ik vroeg of Joost thuis was. Nee, Joost was op zijn werk. Vrijdag, hè? Nog geen weekend. Ik zei dat ik zijn vriendin was. Ze aarzelde. Ze wist niet wat te doen. Ik vermoedde dat Joost haar over mij had verteld en dat ze nu twijfelde mij de deur te wijzen. Maar wat gebeurde er vanavond als Joost erover hoorde? Ze vroeg me binnen te komen. Ze wees me een stoel en ze zei: "Je komt voor Joost. Ben je zwanger van hem? Weet je zeker dat het van hem is?"

Ik schrok van die vraag, maar ik antwoordde naar waarheid dat ik niet zwanger was. Ze was zichtbaar opgelucht. Ze verwachtte kennelijk nog meer narigheid als dit er bij zou komen. Ze vroeg me waarom ik gekomen was, ik kon toch weten dat Joost aan het werk was? Hij moest wel werken, ze zei het cynisch, anders heeft hij in het weekend geen geld om zijn drank te betalen en dan zou de kastelein hem snel de deur uitzetten... Ik vertelde dat ik thuis ruzie had om Joost en dat ik van huis was weggelopen en omdat ik verwachtte dat ik in dit huis op hem kon wachten was ik naar de Visserstraat gegaan. Toen ik mezelf dat alles hoorde vertellen kwam het me nogal dom voor. Mevrouw Slotenmaker zei dat het nog enige tijd zou duren voor Joost kwam, maar als ik anders op straat moest zwerven kon ik wel bij haar blijven. En dat deed ik. Ze vroeg niets over mijn ouders, ook niet waar ik woonde. Ze vertelde over de ziekte en de dood van haar man en dat Joost daaronder te lijden had gehad. Hij was door de omstandigheden veranderd. Zo kwamen we de dag door. Joost kwam thuis. Hij was verbaasd me te zien, iets van "wat doe jij hier nou" op zijn gezicht, maar hij was blij me te zien. Zijn moeder vroeg wat er nu moest gebeuren. Ze voegde er meteen aan toe dat het het beste was dat ik zo snel mogelijk weer naar huis ging. Mijn ouders zouden ongerust zijn en misschien de politie inschakelen om me als vermist op te geven. Maar ik vertelde dat mijn ouders wisten van Joost en mij en dat ze verwachtten dat ik naar hem toe-gegaan zou zijn.

Joost besliste dat ik bleef. Zijn moeder had niets te zeggen. Er was nog een kamer boven. Er stond een bed en er stond nog wat rom-mel, maar dat kon naar de overloop gebracht worden. Als moeder het teveel werk vond om te doen, hij stelde het als een ultimatum, konden hij en ik haar kamer nemen en in haar tweepersoonsbed sla-pen. Wij waren tenslotte met z'n tweetjes, zij was alleen; zij kon zijn bed nemen. Maar moeder Slotenmaker wilde daar niets van weten. Ze ging meteen naar boven om één en ander te regelen en zo bleef ik daar die eerste nacht slapen. De volgende morgen ging ik alsof dat heel normaal was naar het modenuis. Tine Besseling merkte op dat ik er verkreukeld uitzag. Ze vroeg of ik een feestje achter de rug had en ik ging daar meteen op in. Ja, een verjaardag. En als het gezellig is draait de klok zo snel door... Ze zei: "Knap je maar gauw wat op. Zo kun je onze klanten niet ontvangen." Joost ging ook naar zijn werk. En in het begin van de avond aten we met z'n drietjes aan de tafel in de huiskamer. En ik vond het niet vreemd. Ik vond het gewoon; Joost, ik en zijn moeder.

Zaterdagavond stapten Joost en ik naar "De Bierbengel". Ook het volgende weekend. De eerste keer dronk hij niet veel. Hij was lief voor me. Hij liet merken dat hij blij met me was.

Maar de voorbije zaterdagavond dronk hij veel te veel. Twee jongens , die bij ons aan tafel zaten, hielpen me om hem in een taxi te krij-gen en zo kwamen we thuis. Moeder Slotenmaker was in haar slaap-kamer. Ze moet het gestommel, gerommel en geschreeuw gehoord hebben, maar ze hield de deur op slot en kwam niet naar beneden. En ik keek met ontzetting naar wat gebeurde. Joost braakte in het toilet, hij kon niet uit zijn ogen kijken van dronkenschap. Maar hij schreeuwde wel naar mij: "Ruim op!!" Toen hij eindelijk boven was wilde hij in mijn bed stappen en ik moest bij hem komen liggen. Maar dat wilde ik beslist niet. Hij keek me met halfdronken ogen blikkerig aan en hij stamelde: "Je bent mijn meid," maar hij ging toch, strompelend, naar zijn eigen bed. Hij besefte, dacht ik, ook dat er van een vrijpartij niets zou komen.

De week daarna was alles normaal, voor zover het natuurlijk normaal kon zijn. Maar het laatste weekend brak de hel los. Joost wilde heel duidelijk dat zijn moeder haar slaapkamer aan ons afstond. Hij schreeuwde dat ze toch wel begreep dat hij bij mij wilde slapen... Het liep vreselijk uit de hand. Ik had nog nooit dergelijke toestanden meegemaakt. Joost was door het dolle heen en sloeg zijn moeder...'

'Het was wel erg naïef van je,' merkte moeder Marije op, meer om iets te zeggen dan om een opmerking te maken. 'Je wist donders goed wat Joost wilde.'

'Heus wel, zo achterlijk ben ik nou ook weer niet en ik neem de pil in sinds ik hem ken. Ik zou er geen moeite mee gehad hebben als Joost was zoals ik dacht dát hij was, maar zo is hij niet. Hij was lelijk en ruw tegen zijn moeder als ze niet deed wat hij wilde. Na het laatste weekend wist ik dat deze jongen niets voor mij is. Dus heb ik mijn sporttas weer ingepakt en ben ik vanmorgen dat huis uitgegaan. Ik heb wat rond gezworven, op een bank in het park alles overdacht hoe dit heeft kunnen gebeuren. Vanmiddag ben ik teruggegaan naar huis...'

'Eerlijk gezegd, Marit, vind ik je op dit moment een verschrikkelijke domme trut. Je bent negentien jaar, je hebt toch hier en daar gehoord, gezien en gelezen dat niet alle mensen zo keurig en netjes zijn als onze ouders!' Jurrien zei het met een lach op zijn gezicht. Ze had genoeg meegemaakt om haar niet te kwetsen, maar hij wilde dit toch even kwijt.

'Daar heb je volkomen gelijk in. Ik ben in een roes van verliefd zijn weggekwijnd door zijn lieve woorden, zijn houding en zijn mooie ogen. En ik vond het de eerste keren knotsgezellig in het café, er werd leuk gebabbeld en veel gelachen. Ik kende dat leven niet. Wat op de achtergrond speelde drong niet tot me door. En buiten het té veel drinken, dat gebeurde in het begin niet, zag ik Joost als een ideale, vrolijke jongen. En hoeveel mensen gaan niet naar feesten en dancings en dat soort gelegenheden, heel veel toch? Maar nu ik weet hoe hij met zijn moeder omgaat,'Marit schudde haar hoofd, 'dat was gewoon vreselijk. Vanmorgen ben ik weggegaan. Ik heb wat rondgedoold in de stad, iets gegeten in "De Huiskamer" aan de Noordzijde, daarna ben ik naar huis gefietst. En mama was blij me te zien.'

Ze lachte naar haar moeder.

Marije zei: 'En of. Je hoort hier.'

In september wist Eveline dat ze zwanger was. Ze was 's morgens niet echt misselijk, maar ze had daar wel vervelende verhalen over gehoord, van nicht Trudy bijvoorbeeld. "Hollen naar de badkamer..." Dat was het niet, maar wel het nare gevoel dat er iets klem zat in haar keel. Maar de echte waarheid van de zwangerschap bracht het feit dat ze niet op tijd ongesteld was geworden; veertien dagen geleden.

Vanavond wilde ze het aan Jurrien vertellen. Het onderwerp "een baby" was natuurlijk eerder naar voren gekomen.

"We willen graag kinderen," had Jurrien enige maanden daarvoor tijdens een gezellig gesprek in de huiskamer in de Borgerlaan aan Eveliens ouders verteld, "één of twee en als het lieve, gehoorzame en zoete kindertjes zijn misschien drie, maar we realiseren ons dat één baby al een grote verandering in ons leven zal brengen."

"Ga daar maar van uit," ging Martha Welkers er opin, "er is meer werk aan een baby dan de meeste aanstaande ouders denken. Het is geen kwestie van voeding geven, schone luier om de billetjes en het kindje weer in het wiegje leggen om te slapen."

'Waar wij vooral over gepraat hebben is mijn werk," praatte Eveline verder, "we hebben ons huis gekocht en daarbij zijn onze beiden inkomens inzetbaar geworden. Daar weten jullie alles van. We leven in een tijd waarin de komst van een kindje mede door papa en mama bepaald kan worden, we kunnen er zelf de beslissing in nemen. Ik slikte gehoorzaam de pil, ik ging elke ochtend naar kantoor. Maar Jurrien en ik verlangen naar een baby. Niet dat een baby nodig is om onze liefde meer inhoud te geen, zo is het zeker niet. Wij houden nog meer van elkaar dan vóór onze trouwdag, maar er is iets, ik denk dat het 'de stem van het leven' is, de driehoek man, vrouw, kind, dat bij ons binnensluipt."

Martha Welkers knikte instemmend, maar ze zei niets. En Eveline praatte verder: "Ik heb er met Wouter van Bijlo over gepraat. Duidelijker in beeld: toen ik hem vertelde over onze trouwdag zei hij: 'Ik ga nu al een stap verder, Evelien, ik denk aan de dag waarop je weet dat je zwanger bent. Ik ben een getrouwd man, Thea en ik hebben twee kinderen. Ik weet er veel, zo niet alles van. Ik wil er niet dieper op in gaan, dat is niet nodig, maar Johan Polz en ik willen je niet graag als onze medewerkster missen. We kennen elkaar goed en we vertrouwen elkaar, je doet veel werk en je doet het accuraat en goed. Wat ik wil zeggen is dat ik hoop dat je geen beslissingen neemt om te stoppen met werken, voor je met mij of met Johan hebt gepraat. Misschien kunnen wij helpen een oplossing te vinden.'"

"Die Van Bijlo is een geschikte kerel," Jan Welkers knikte instemmend bij die woorden, "maar hoe stelt hij zich dat voor? Wil hij dat zijn vrouw in de vroege morgen naar jullie huis rijdt om het wasgoed in de machine te stoppen? Misschien is er een plannetje in het hoofd van Wouter. Als het om het belang van de zaak gaat is voor hem niets onmogelijk, maar Thea zal er geen zin in hebben."

"Ik denk," had Jurrien toen gezegd, "dat het meer gaat om bij te dragen in de kosten van huishoudelijke hulp of een oppas, een kinderjuffrouw voor ons prinsje of prinsesje. Dat is snel te regelen als hij vraagt hoeveel de loonsverhoging moet bedragen. Maar dan staat nog de vraag open of Eveline niet liever zelf voor de baby wil zorgen."

Moeder had opgemerkt: "Wacht maar af tot het zover is. Dan komt

er beslist een oplossing, dan kan erover gedacht en gepraat worden."
Toen na de maaltijd de keuken en de kamer opgeruimd waren zei
Eveline, ze ging dicht naast hem op de bank zitten: 'Jurrien, ik ga je
iets leuks vertellen, ik ben zwanger.'
Hij was niet verbaasd. Maar jij juichte wel: 'Ik verwachtte het! Ik
volg al je bewegingen, dat doen verliefde echtgenoten en ik dacht:
ze doet er geheimzinnig over, maar mijn Evelientje slikt de pil niet
meer en dan kan het gebeuren dat... Lieveling, wat heerlijk! Er wordt
gezegd dat de vrouwen van deze tijd een zwangerschap kunnen
regelen en dat is deels ook zo, maar er zijn nog veel vrouwen die
verlangen naar een kindje, maar niet zwanger worden. Maar wij
krijgen een baby...'
Er was veel te vragen en veel over te zeggen.
'Er is nog tijd genoeg om te bedenken hoe één en ander geregeld
moet worden. In "De Woonwinkel" praten we over levertijd,'
Jurrien lachte om zijn woorden, 'wat onze dochter of zoon betreft
moeten we ook een wachttijd in acht nemen voor het geboren gaat
worden. Negen maanden. Over negenmaanden is het nieuwe jaar
alweer begonnen, de lente heeft nieuw leven gebracht in planten,
bloemen en bij de dieren, dan wordt in de meimaand ons kindje
geboren.'
'Je bent er nu al lyrisch over,' lachte Eveline, 'we zijn er heel blij
mee.'

Woensdagavond rinkelde de telefoon.
Evelien nam op en hoorde Marits stem. 'Hallo, met Marit!' Ze hoorde spanning in die paar woorden. 'Eveline, ik wil je iets vragen. Je
bent met mijn broer getrouwd, je bent mijn schoonzusje, we zijn
familie en we kunnen goed met elkaar opschieten.'
Eveline antwoordde alleen: 'Ja.' Ze voelde dat het van Marit geen
gemakkelijke vraag zou worden. Nu ze erover begonnen was, was
het beter haar verder te laten praten.
'Er is iets wat me erg bezighoudt, het houdt ook verband met jou.

Ik weet niet wat ik er nu over moet zeggen. Misschien is het beter te zwijgen, maar dan blijf ik er alleen mee. En ik wil het loslaten. Ik moet iemand erover vertellen, maar er is niemand anders dan jij. Pap en mam kan niet. Jurrien ook niet. Maar jij wel. Omdat jij het zult begrijpen. Maar je zal het niet prettig vinden om te horen. En nu ik dit zeg denk ik: Nee, ik mag het niet aan Eveline vertellen.'

'Maar als je het niemand vertelt blijft het bij je en daar heb je moeite mee. Je maakt me nieuwsgierig, Marit,' Eveline zei het met een lachje, maar ze begreep dat het om een ernstig onderwerp ging. Het had veel invloed op Marits denken. Het was goed naar haar te luisteren. Dan wist ze wat er aan de hand was. Het zou iets zijn wat met Joost verband hield; ze wilde niet laten merken in welke richting haar gedachten gingen.

'Kun je vrijdagavond hier komen? Jurrien hoeft dan niet in de winkel te zijn, maar hij gaat er meestal wel heen. Vrijdagavond is de koopavond en hij zegt dat er dan klanten komen, vaak man en vrouw samen, die serieus bezig zijn met het kiezen van nieuwe spullen voor hun woning. Ze willen een goed advies als ze de beslissing niet durven nemen. En in dat soort werk is Jurrien goed. Hij noemt zijn vrijdagavondbezigheid, liefde voor de zaak, maar hij weet ook dat Gert Bakker het erg op prijs stelt.'

'Vrijdagavond is goed. Ik kom op tijd. Niet omdat het een lang verhaal hoeft te worden. Als ik alles achter elkaar opdreun ben ik in vijf minuten klaar, nou zeg, tien minuten. Ik wil het aan jou vertellen. Dan is het geen geheim meer van mij alleen. Ik wil dat het uit mijn gedachten gaat.'

Eveline glimlachte stilletjes. Het was al met al een beetje verwarrend.

'Marit, we zien elkaar vrijdagavond. Dan weten we hoe het verloopt. Ik vind het in elk geval prettig dat je mij in vertrouwen wilt nemen.'

Eveline legde de hoorn neer. Er was iets met Marit aan de hand. Ze had gezegd: "Dan is het geen geheim meer." Zij zou niets tegen wie danook over de komende vrijdagavond vertellen. Ook niet tegen Jurrien. Lieverd, het is niet mijn geheim, het is Marits geheim.

5

DIE VRIJDAGAVOND STAPTE MARIT OM KWART OVER ZEVEN HET HUIS binnen.

'Hallo!', begroette ze Eveline uitbundig. Eveline voelde een grotere spanning in haar schoonzusje dan tijdens het telefoongesprek van woensdagavond. Waarschijnlijk was alles ernstiger dan ze had gedacht...

'Ik ben vroeg, maar nu hebben we tot half tien de tijd.'

'Kom mee naar de kamer en zoek een lekker plekje, een praatstoel. Heb je zin in koffie of thee of wil je liever eerst een begin aan je verhaal maken?'

'Laat ik dat maar doen. Maar, Evelien, denk bij alles wat je hoort dat het niet ernstig is. Er is ook geen gevaar voor jou. Het is van mij voelen en weten, er mee bezig zijn en het, in de voorbije jaren, steeds weer tegenkomen. Het bleef me achtervolgen en bezighouden. Ik denk dat je er nog helemaal niets van snapt,' Marit lachte, 'nu ik mezelf hoor praten is het ook verwarrend. Ik moet erover praten. Ik heb aan dominee Van der Wielen gedacht, maar achteraf vind ik het een geschiedenis die hem niet aangaat. Het gaat alleen mij aan. Het doolt rond in mijn hoofd en ik verwachtte het los te kunnen laten door met Joost te gaan. Afleiding, aan andere dingen denken en andere dingen doen.'

Marit zat op de bank. Eveline zocht een stoel van waaruit ze haar schoonzusje recht kon aankijken.

'Ik begin. Je weet dat mijn ouders verongelukt zijn toen ik drie jaar was. Dankzij de afspraak tussen mijn eigen ouders en mijn papa en mama bleef ik bij hen wonen en dat is een goed besluit geweest. Ik had geen beter onderdak kunnen krijgen.

Toen het ongeluk gebeurde was Jurrien negen jaar. Het was een spannende tijd voor hem. Het heeft diepe indruk op hem gemaakt. Hij hoorde hoe het gebeurd was. Zijn oom Theo en tante Lenie zaten in de auto, de radio stond aan. Hij maakte zich een voorstelling van dat autoritje, gezellig en warm in de wagen, waarschijnlijk hadden ze elk een snoepje in de mond, want Jurrien wist dat oom Theo altijd lekkere snoepjes in de auto had. Ze praatten met elkaar, het was een schitterende rit, ze gingen heerlijke dagen tegemoet. Maar opeens veranderde alles. Politiewagens en ambulances op de weg, mannen in uniformen en ziekenverzorgers, maar alle hulp kwam te laat, mijn ouders waren dood. Die verhalen waren niet voor de kleine jongen bestemd, maar hij hoorde ze wel. Zijn ouders wilden hem in die dagen niet bij een oom of tante of vrienden brengen. Hij hoorde thuis. Dit drama speelde zich af in hun familie, in hun gezin, hij moest thuis blijven. Ook ik bleef in het huis; maar ik weet niets van het drama. Vader Anton en moeder Marije hadden veel te doen. De begrafenis regelen, daarna het ontruimen van de woning waarin wij gewoond hadden en de verkoop ervan. Het moeten hectische en chaotische weken in ons huis zijn geweest.. Ik heb vrijwel geen herinneringen aan de gebeurtenis. Maar Jurrien heeft gedeelten van wat over het ongeluk werd gezegd, wel gehoord. Hij begreep dat ik "het arme kind" was waarover werd gesproken, het zielige slachtoffertje. Hij had medelijden met me en hij wilde, op zijn manier, proberen het leven voor mij prettiger te maken. Hij speelde met me, hij hielp me als ik iets niet voor elkaar kon krijgen. Dat bracht in mij, hoewel ik nog een klein meisje was, het gevoel "Jurrien is lief". Ik hield van Jurrien. Zoals ik van mama en papa hield.

We hebben daar later, zonder het van mijn kant echt bij de naam te noemen, over gepraat. We waren toen nog wel kinderen, maar ik was geen kleutertje meer. We voerden die gesprekken als broer en zus, maar later heb ik me afgevraagd of er niet iets andere meespeelde. Maar dat andere gevoel was er niet echt, daarvoor waren we te jong. En ik weet nu ook dat dat gevoel bij mij speelde, niet bij hem. We wisten dat we niet echt broer en zus waren. Neefje en nichtje is toch anders.'

'Och,' wilde Eveline daar haar mening over zeggen, 'jullie waren nog kinderen. Ik heb er nooit over nagedacht dat Hans mijn broer was, hij wás gewoon mijn broer. Hij woonde ook in ons huis. Zo was het voor Jurrien en jou toch ook?'

Marit ging er niet opin. 'Jurrien vertelde me met zijn woorden, een jongen van dertien jaar toen, wat er op de dag van het ongeluk was gebeurd. Hij had de gesprekken gehoord tussen de mensen die er in ons huis heftig mee bezigwaren, mijn ouders, familieleden, vrienden en kennissen. Jurrien begreep lang niet alles, maar hij legde alle flarden van wat hij opgevangen had naast elkaar en zo kreeg hij plaatjes, beelden. Voor het jochie, dat hij op de dag van het ongeluk was, negen jaar, was het een enerverende tijd. Hij zag de tranen van zijn ouders, maar hij begreep het verdriet niet in de volle omgang. Maar het hield hem bezig. Hij vond een paar jaar later dus, dat hij mij erover moest vertellen. Papa en mama deden dat niet. Wel in grote lijnen, de feiten op een rij. Meer niet. Dat praten tussen Jurrien en mij gebeurde meestal in de huiskamer als we met z'n tweetjes waren. We zaten in de speelhoek, allebei op een laag krukje. Jurrien vertelde vreselijke dingen, maar het drong tot mij niet echt door dat het over mijn eigen papa en mama ging. Omdat Jurrien zo met me praatte groeide een band tussen ons, in elk geval mijn kant; hij was belangrijk in mijn leventje. En hij was heel lief. Ik hield met kinderlijke genegenheid van Jurrien.'

Na deze woorden zweeg Marit. En Eveline wist niet wat erop te zeggen.

Na een korte stilte zei ze: 'Ik zet thee. En ik heb, omdat ik wist dat je zou komen, bonbons bij Tilleman gekocht.'

Marit glimlachte. Bonbons bij de thee, het klonk feestelijk, maar echt feestelijk, een feest voor Jurrien en haar was het niet geworden en zou het ook nooit worden. Maar tussen Eveline en haar kon een goed gesprek worden tussen schoonzusjes. En de bonbons zouden lekker zijn.

'Jurrien is altijd een fijne broer voor me geweest. Hij was een andere broer voor zijn zus dan de broers van mijn vriendinnen en buurmeisjes. Die jongens keken niet echt naar hun zussen om, maakten vaak ruzie en noem maar op.'

Eveline luisterde; op de achtergrond ontstond het stille vermoeden wat hier achter vandaan zou komen.

'Ik werd ouder, dertien, veertien jaar en met vriendinnen praatte en giechelde ik mee over de jongens. Op een middag vertelde één van die meisjes dat Mark de Groot de vorige dag naast haar kwam rijden toen ze over de Westerweg trapten! Ze was zo verheugd, ze straalde. Mark was dan ook de bink van de klas. Een hele eer voor Els dus.

Daarover dacht ik na. Ik kan me dat nog goed herinneren. Het kwam waarschijnlijk door de verwarring in me van dit ontdekken. Ik dacht: Els, jij bent blij omdat Mark naast je fietste, je wilt graag zijn vriendinnetje zijn, maar.... Ik heb al een vriendje, want ik heb Jurrien! Hij is mijn vriendje...

Ik was eigenlijk nog niet toe aan een vriendje. Ik wist niet wat ik met een jongen moest doen. Ja, praten over school en wat gebeurde op het sportterrein, maar dat vertelde ik Jurrien al. een Echt vriendje, daarmee moest je zoenen. En dat zag ik tussen Jurrien en mij, op dat moment, nog niet gebeuren. Ook met de armen om elkaar lopen, nee, zover waren we nog niet. Ik werd wel door Jurrien gezoend en ik zoende hem ook, maar dat was als er een jarige in de familie was; iedereen zoende elkaar dan. Jurrien gaf me een kus op mijn wang, echt een zoen van een broer voor zijn zus.

Ik wist dat ik veel, zo niet alles, met papa en mama kon bepraten. Maar over mijn stille, groeiende liefde voor Jurrien, een liefde van een meisje voor een jongen, niet langer van een zusje voor haar broer, durfde ik geen woord te zeggen.

Maar het gevoel dat Jurrien meer voor mij betekende dan dat hij een broer was, groeide langzaam met me mee. Ik wist niet hoe het was van een broer te houden, maar ik voelde wel dat Jurrien meer voor mij betekende. Ik denk achteraf dat in mijn meisjeshart de zekerheid groeide dat ik later, als ik groot was, een jongen wilde die was zoals Jurrien. Nog een stap verder: die jongen was er al. Jurrien. En langzaam groeide het weten dat het niet goed was dat ik op deze manier van mijn broer hield. Het beangstigde me. Ik werd erg bang. Ik wist van homoseksualiteit en van lesbiennes, maar een meisje dat verliefd was op haar broer was vreemd, dat was niet normaal! Er was iets met mij aan de hand, dit kwam nooit voor, het hoorde niet, het was niet goed en het mocht niet! Ik had het er heel moeilijk mee.'

'Marit, nee!', riep Eveline geschrokken, 'in die richting moet je niet denken, dat is het niet! Toen je me belde zei je dat ik het zou begrijpen. En ik begrijp dat je van Jurrien houdt. Vooral de jaren in aanmerking genomen waarin jullie een goed contact met elkaar hadden. Jurrien is een lieve jongen. Ik weet zeker dat wat jij voor hem voelde een vlucht, een verlangen naar zekerheid is geweest. Je wilde wel een vriendje, als de meiden op school, maar liever geen vreemde jongen. En zo kwam je bij Jurrien, dat was veilig. Zo moet het opgebouwd zijn.'

Marit knikte wel instemmend, maar ze zei niet: 'Ja, dat zal het geweest zijn."

Ze praatte verder: 'Mama had in de gaten dat er iets was en ze maakte af en toe een vragende opmerking. Had ik een vriendje, op school of op de korfbalclub? Ze voegde eraan toe dat het normaal zou zijn, ik had er de leeftijd voor. De eerste tijd ontweek ik haar vragen, maar op een middag praatte ik er toch over. Die middag herinner ik me nog. Het was slecht weer, het regende hard, het was oktober of november. Mama en ik waren samen in de kamer; we konden er niemand bij hebben. Mama wist niet waar dit praten toe zou leiden. Voorzichtig vertelde ik dat ik verliefd was op Jurrien. Maar, vroeg ik, dat mag niet, hè? Ze zei heel diplomatiek, ze wilde me niet echt alle hoop ontnemen, het zou een grote teleurstelling voor me zijn, ze zei: "Niet kunnen... Er zijn meer neven en nichten met elkaar getrouwd, maar het is niet verstandig dat te doen. Vooral niet als je later graag kinderen wilt. In dergelijke huwelijken worden vaak kinderen geboren met een geestelijke achterstand of een andere handicap."

"Maar," zei ik, "meneer Roelands van geschiedenis heeft in een relaas over koningshuizen verteld over een neef en een nicht die met elkaar in het huwelijk waren getreden. De telg die uit dat huwelijk geboren werd was beslist niet geestelijk gestoord, want hij is op de troon terecht gekomen."

Ik werd ouder en ik bleef over Jurrien dromen en fantaseren. Hij was elke dag om me heen. Vertellend over zijn studie, over de sportvereniging, over zijn vrienden. Ik zag hem in zijn badjas als hij uit de douche kwam, ik hoorde hem mopperen en schelden als hij iets niet kon vinden, luid aan het woord aan tafel, maar er waren ook veel vertrouwelijke gesprekken tussen ons over allerlei onderwerpen. Politiek, geldzaken, verhoudingen tussen mensen, geloof, de kerk. Jurrien en ik genoten van die gesprekken. Ik voelde me volwassen, ik hoorde erbij. Ik hoorde bij hem en bij de gesprekken in de huiskamer met papa en mama. Het was heerlijk. Ze luisterden alle drie naar me. Ik weet achteraf dat onze ouders vooral blij waren met de saamhorigheid in ons gezin.

Langzaamaan, ik werd ouder, ontdekte ik dat Jurrien niet meer in me zag en niet meer voor me voelde dan voor een zusje. Anders zou hij me wel eens aanraken, me vasthouden, stralend naar me kijken, me een kus geven, maar dat gebeurde niet. Hij voelde een broederlijke liefde voor me. Ik bedoel ermee dat hij voelde dat wij aan elkaar verbonden waren omdat we familie waren. Hij zou me helpen wanneer ik hulp nodig had. Hij wilde me graag zien en met me praten, maar verder dan de genegenheid van een broer ging het niet. Later noemde Jurrien af en toe de naam van een meisje uit de kring van jongelui waarmee hij studeerde. Maar meestal noemde hij na verloop van tijd die naam niet meer. Dan was het, veronderstelde ik, weer uit tussen die twee. Tot de middag waarop hij jou ontmoette. Hij vertelde er bij de avondmaaltijd over. Ik zal nooit vergeten hoe dat ging.

"Vanmiddag was Eveline Welkers in de winkel, het zusje van Hans Welkers. Vroeger noemde ik haar soms Lientje en dan werd ze boos. Ze wist dat nog en kon er nu om lachen. Ik zag haar en ze keek me aan met mooie, lichtblauwe ogen. Ik voelde dat ik van kop tot teen trilde..."'

Marit zweeg. Ze glimlachte nerveus naar Eveline. Ze boog zich naar de tafel om het theekopje te pakken. 'Mijn droom was voorbij. Ik wist dat Jurriens liefde voor jou was, iets in de richting van "liefde op het eerste gezicht". Ik kon er niet met mama over praten.

Ik kwam Floris tegen. Hij vond me aardig en ik mocht hem wel, maar hij was zo anders dan Jurrien. Ik voelde die vriendschap als verraad, Floris moest als afleider dienen, maar daar was hij niet geschikt voor. Te saai, te goedig. En intussen jubelde Jurrien over jou. Ik was jaloers. Ik weet dat jaloezie geen goede eigenschap is, maar als ik in stilte met mezelf praatte begreep ik het heel goed.

Toen kwam ik Joost tegen. Op de zaterdagmarkt. Hij keek naar me en volgde me. Bij de groente- en fruitkraam sprak hij me aan. Hij haalde spulletjes voor thuis, voor zijn moeder. Ze kon wel naar de markt lopen, maar de tassen waren zo zwaar. Bloemkool, sinaasappelen, noem maar op... Joost heeft veel van "de veroveraar" in zich, je weet wat ik bedoel. Hij is knap, hij heeft prachtige ogen en hij weet hoe hij een meisje zonder ervaring, en dat was ik, moest veroveren. Na vier weken elkaar in de stad ontmoeten en een kopje koffie drinken in een lunchroom praatte ik mezelf aan: nu ben ik verliefd, nu is voor mij de liefde gekomen! Zoals Jurrien die bewuste avond had gezegd: "Ik trilde over mijn hele lichaam," zo voelde ik het toen Joost vertelde over zijn leven. Zijn vader was enige jaren daarvoor overleden, ja, verschrikkelijk, het was tussen hen echt de goede verhouding "vader en zoon" geweest. Hij woonde nog bij zijn moeder. Hij begon wel eens over "op mezelf wonen", maar dan zei ze hem dat zij hem zou missen, dan was ze alleen en ze hadden het toch goed samen... Daarom bleef hij bij haar wonen. Ik vertelde over het auto-ongeluk van mijn ouders en mijn wonen bij mijn ouders van nu. En heel voorzichtig, ik had het toen absoluut niet door, informeerde Joost of mijn ouders mij geld hadden nagelaten. Twee weken later vroeg hij of ik met hem meeging naar het café, dat was wat anders dan de avonden bij ons thuis! Ik voelde toen de reactie van de vriendengroep in dat dranklokaal. Ze hadden iets van: Joost heeft het voor elkaar, een knappe meid en niet een arme schooierdochter zo te zien... In het café was het anders dan thuis. Daar keken we televisie, moeder vroeg wat we wilden drinken, thee of koffie? Hier was vrolijkheid, hier werd gelachen. Ik kon alles vergeten. Laat Jurrien maar met Evelientje in het park wandelen, ik genoot nu van het leven! Maar zonder dat ik me ervan bewust was huilde mijn hart. Als ik hem en jou samen zag besefte ik dat dat anders was dan tussen Joost en mij. Maar de ene jongen is nu eenmaal de adere jongen niet.'

'Marit toch... Het is een bittere teleurstelling voor je geworden.'

'Ja. Ik vond niet dat Joost en zijn moeder mensen zijn van een ander niveau dan wij, een "ander slag", zoals vader dat noemt, een mindere klasse, want dat is zijn moeder beslist niet. Ik heb goede gesprekken met haar gehad. Maar Joost is een schoft, een branieschopper, een... wat zal ik nog meer over hem zeggen? Hij is in zijn kinderjaren schromelijk verwend en nadat hij besefte dat hij het niet van zijn goede verstand en prestaties moest hebben zocht hij het in indruk maken in het café, de leider zijn van de groep medebroeders van het geheven glas. En een glas heffen is geen verkeerde bezigheid, dat gebeurt bij ons thuis ook regelmatig, maar dan wel op een andere manier. En met mate. Ik ben blij dat deze geschiedenis achter de rug is. Ik moet verder met mijn eigen leven.

Toen ik weer thuis was voelde ik me miserabel. Spijt van wat ik papa en mama had aangedaan. Ze hebben toch een paar weken behoorlijk in zorgen gezeten omdat ze ervan overtuigd waren dat mijn onderdak bij Joost niet goed was. Wat speelde zich in dat huis af? Nou, meer dan zij zich konden voorstellen! Alleen,'er kwam een lach op Marits gezicht, 'dat kan ik jou vertellen, ik heb je al zoveel verteld, maar van seksueel contact tussen hem en mij kwam weinig terecht. In de eerste plaats omdat Joost in die eerste weken niet echt dronken was, maar hij had toch wel zoveel naar binnen gewerkt dat hij te moe en te lamlendig was voor een vrijpartij. En we hadden weinig ruimte in zijn smalle bed, want Joost wilde er een show van maken. Je kent dat van soaps op de televisie, beginnen met lief praten tegen je schatje, haar strelen en kussen... Maar het werd eerder een horrorfilm dan een liefdesverhaal! Mijn komst naar hun huis overviel hem natuurlijk. Hij verwachtte niet dat ik op een morgen voor de deur zou staan. Dat doen meiden uit zijn vriendenclub niet. Die weten van te voren dat dat op niets zal uitdraaien. Maar ik was zo opgegaan in mijn liefde voor hem, ik praatte mezelf die liefde aan, dat snap je na mijn verhaal. Ik dacht er niet over na hoe de situatie in dat huis zou zijn.

Toen ik weer thuis was heb ik over alles nagedacht en dat kwam ook door wat de politieman, die Schippers, tegen me heeft gezegd voordat hij de kamerdeur achter zich dichttrok. Ik heb steeds geweten dat ik verliefd was op Jurrien en dat was ik ook echt. Het was ook, dat realiseer ik me nu ik er tegen jou over praat, iets van zekerheid voor de toekomst. Jurrien bleef om me heen, hij paste op me. Het gaf een fijn gevoel. Het was naar gevoelens gegroeid die bij me hoorden, Jurrien en ik. Maar het mocht niet en het kon niet, want Jurrien hield niet op die manier van mij. Ik moest loslaten, maar dat wilde ik niet, want op een kinderlijke manier, maar zo voel ik het toch niet, was ik blij met mijn liefde voor hem. Ik koesterde dat gevoel jarenlang stilletjes. Niemand mocht het weten, maar het maakte mij blij. Ik begrijp dat zelf achteraf ook niet. Het menselijk lichaam is een groot wonder. Te beseffen hoe alles met elkaar in verband staat en werkt. Maar ook het werken van het verstand, ons denken en voelen is een groot wonder. Ik koesterde, veilig van binnen bewaard en niemand mocht het weten, mijn liefde voor Jurrien.

Schippers vermoedde dat er een reden verborgen was achter de kwestie Joost. Er moest een reden zijn waardoor ik in zijn armen was weggekropen.

Het is een vlucht geweest. Toen ik weer thuis was heb ik dat zelf ook vastgesteld. Ik begreep dat het ontstond omdat ik opeens besefte dat mijn droom over Jurrien en mij nooit werkelijkheid zou worden. Ik kon niet verder blijven dromen.

Na Schippers woorden drong tot me door dat ik op een domme manier bezig was. Een onbeantwoorde liefde is vreselijk, voor als die liefde, zoals in mijn geval, langzaam groeide vanaf de kinderjaren. Ik raakte ermee vertrouwd. Het is zo dat een verstandige vrouw – en dat wil ik toch zijn – het moet loslaten. Daarmee ben ik nu bezig. Ik hoop dat je mijn gedachten kunt volgen. Ik koesterde een geheim. Ik wilde het vanavond aan jou vertellen. Speciaal aan jou omdat jij met Jurrien getrouwd bent en begrijpt waarom ik van hem hield. Ik houd nog van hem, maar op een andere wijze. Met twee open ogen en een nuchtere blik. Ik heb het verteld en het is voor mij geen geheim meer. Het voelt anders. En nu,' Marit schoof op de bank naar voren. Eveline keek met een lichte verbazing naar de verandering in haar. De ogen leken groter en lichter te worden en op het gezicht kwam een lach. 'Nu heb ik grote plannen! Ik ga mijn leven veranderen! Schippers had gelijk: ik dook in het avontuur "Joost" om mezelf te bewijzen dat ik Jurrien had losgelaten.

Ik wil weg uit huis en weg uit Voorberg. Ik wil naar een andere stad. Ik heb aan Amsterdam gedacht. In Amsterdam gebeurt het, maar het kan ook Apeldoorn worden. Of Arnhem of Maastricht!! Ik wordt over een paar weken twintig. Ik heb een goede opleiding achter de rug, ik werk bij Modehuis "Patricia" en ik heb het daar naar mijn zin. Maar er zal in één van de steden die ik noemde een modehuis zijn die een ervaren verkoopster als ik kan gebruiken!' Ze zei het lachend. 'Apeldoorn heeft een prachtige omgeving. Er stond een advertentie in de krant van Modehuis "Van Baarle". Ik heb daarover wel gehoord, het schijnt mooi en chique te zijn. Ik heb een sollicitatiebrief geschreven en op de post gedaan. Als het lukt, Evelien, stel

je voor, moet ik woonruimte in Apeldoorn zoeken.'
"Ik schrik van dit plan. Stort je je niet opnieuw in een avontuur? Eerst Joost, nu Apeldoorn? Hoe zullen je ouders hier tegenover staan?'
'Ze zullen het niet leuk vinden. Nadat Jurrien uit huis is is het er stiller geworden. Als ik ook vertrek blijven ze met z'n tweetjes achter. Ze zullen zich oude mensen voelen! Maar zo is het natuurlijk niet. Vader gaat elke dag naar zijn werk en moeder heeft bezigheden genoeg in huis. En bovendien, ze weten dat ze me niet kunnen vasthouden tot ik vierendertig ben en eindelijk de juiste man heb gevonden. Of genoegen neem met een saaie zeurpiet om toch maar getrouwd te zijn.'
'Dat ben ik met je eens. Maar het zal een tegenvaller voor ze zijn.'
'Zo is het leven nu eenmaal.'Marit probeerde een tragische klank in haar woorden te leggen. Ze voegde er direct aan toe: 'Vader en moeder zijn verstandige mensen. Ze weten dat kleine kinderen groot worden en hun eigen weg zoeken. Dat hebben zij vroeger ook gedaan. En ik ga niet ver weg. Een autootje, een rijbewijs en ik tuf in drie kwartier naar huis! Ik ga niet naar Californië emigreren, hoewel dergelijke verre landen in deze tijd ook binnen tien, twaalf uren te bereiken zijn. Als je geld hebt om een ticket te kopen tenminste.'
'Wanneer praat je hier thuis over?'
'Ik wil er morgenavond over beginnen.'
'Denk je dat moeder Marije een idee heeft van wat de werkelijke achtergrond hiervan is?'
'Nee, daaraan denkt ze niet. Ze vroeg me jaren geleden wel of er een jongen was op "Het Hoge Hop"die ik aardig vond of een knaap op het sportveld. Toen heb ik haar gezegd dat ik Jurrien leuk vond. Dat pakte ze serieus op, ze lachte me niet uit. Ze zei dat een huwelijk tussen neef en nicht een groot gevaar kan brengen voor de gezondheid van eventuele kinderen. En, het tweede belangrijke in dit: Jurrien kijkt zo niet naar jou... Ik heb me er toen wat lacherig afgemaakt omdat ik niet wilde dat ze zou weten hoe diep het bij mij zat.

Ik wilde mijn liefde stilletjes koesteren. Ze zei dat Jurrien veel meisjes kende. Hij praatte over Hanneke en Janneke, ik noem maar een paar namen. Maar die liefdes gingen niet diep.'
'Marit, het is ook voor mij een bijzondere en enerverende avond. Ik heb nooit geweten dat jouw gevoel voor Jurrien dieper en anders was dan het gevoel voor een broer. Ik geloof ook niet dat Jurrien anders over jou heeft gedacht dan: mijnzusje...'
'Dat denk ik ook niet. En dat maakt ook meteen een eind aan de dromen uit mijn meisjesjaren.'
'Ik vind het verdrietig voor je.'
'Het is voorbij. En, Evelien, ik kijk nu anders naar die voorbije tijd. Ik was een kind. Ik had een knappe, leuke vent dichtbij, maar hij zag mij niet als zijn droomprinsesje. Het is voorbij. Ik wil een andere weg inslaan en ik wil dat radicaal doen. In een andere omgeving en met andere mensen werken. Weg uit huis, zelfstandig zijn. Ik hoop mensen te ontmoeten die mijn vrienden en vriendinnen worden. Op een nieuwe plek als een nieuwe Marit Beekman beginnen. En verder gaan.'
'Ik denk aan de teleurstelling van jouw papa en mama, mijn schoonvader en schoonmoeder. Maar na het hele verhaal heb ik begrip voor je plan.'

De volgende avond vertelde Marit haar ouders over haar plannen. Ze begon voorzichtig, ze wilde niet onmiddellijk alles op tafel gooien.
Marije Beekman staarde met onbegrip en verbazing naar haar dochter. Bij hen weggaan? Marit, maar nee, van 'bij hen weggaan' was geen sprake. Ze ging niet weg uit hun leven, alles bleef tussen hen zoals het was, van elkaar houden, elkaar ontmoeten, elkaar begrijpen. Maar Marit wilde in Apeldoorn wonen...
Anton Beekman reageerde directer. Hij zei niet dat hij het plan goedkeurde. Hij wist dat hij haar niet kon tegenhouden. Om aan het woord 'verbieden' maar helemaal niet te denken. In oktober werd ze

twintig, het was een jonge vrouw die haar eigen keuzes mocht maken. Maar hij zei wel: 'Meisje, ik heb het gevoel dat dit een vlucht is na wat je met Joost heb meegemaakt. Je werd verliefd op een mooie jongen en hij was het voorbeeld van een vriendelijke, vlot en behulpzaam mens. Zoals hij kom je er niet veel tegen in het leven, maar jij had hem gevonden!! Je lachte met hem en je zoende met hem om dan tot de bikkelharde waarheid te komen dat het een alcoholist is en dat hij zijn moeder slaat!! Wat maakt dat psychisch los in een meisje dat opgegroeid is in een beschermde omgeving? Het moet als een felle donderslag over je heen zijn gekomen, dat kan niet anders. En, hoor hoe poëtisch ik dit zeg,' bracht Anton Beekman licht lachend naar voren, 'wat was de reactie op die klap? Denken: "Ik wil weg, ik wil alles nieuw, ik wil naar iets heel anders op zoek. Dit achterlaten, niet meer aan denken, uit de buurt van Joost Slotenmaker blijven. Dit, lieve kind,' Anton liet zijn stem zachter klinken, 'is een vlucht. Maar een mens kan niet op de vlucht gaan voor zichzelf.'

Het was even stil in de kamer. Anton dacht: ze heeft me begrepen en Marit wist dat hij de juiste woorden had gezegd. Maar ze dacht erbij: ik ga er niet op in, ik laat het zo.

Haar vader praatte verder: 'Op zich is het normaal dat jonge mensen naar nieuw mogelijkheden en nieuwe omgevingen zoeken. Mam en ik zullen het niet prettig vinden als dit doorgang vindt, en dat is dan zwak uitgedrukt. Het is goed en plezierig jou in huis te hebben, maar als je plannen hebt...'

'Zijn die plannen al serieus?' vroeg moeder Marije. Anton zeurde te veel.

'Serieus, niet echt serieus. Maar ik denk er wel serieus over. Voor ik een volgende stap zet wilde ik het jullie vertellen.'

'Dat is goed.'

'Ik heb op een advertentie geschreven waarin een modehuis in Apeldoorn een ervaren verkoopster zoekt. Apeldoorn heeft een gezellig centrum en een prachtige omgeving.'

'Als dat doorgaat verhuis je naar Apeldoorn.'

'Ja. Maar om te kunnen verhuizen moet ik een plekje vinden om te wonen. En het woord "woningnood" is nog steeds aan de orde. Ik heb in die richting nog geen stap gezet. Ik wilde er eerst met jullie over praten. Geen geheimzinnig of achterbaks gedoe. Dat is ook niet nodig. Het overvalt jullie, maar het gebeurt dagelijks dat volwassen kinderen het huis uitgaan, en, zoals Els dat noemt "op zichzelf" gaan wonen. Als je erover nadenkt een malle uitdrukking. Ik weet niet of er kleine appartementen zijn, echt voor starters, beginners buiten moeders deur, maar ik heb geld op de bank.'Ze keek lachend naar haar ouders.

'Dat is waar,' ging Marije daar opin. 'De afspraken tussen jouw ouders en pap en mij om voor elkaars kind te zorgen bij overlijden van beiden, werd gemaakt toen jij net je eerste verjaardag had gevierd. Na het ongeluk heeft vader gesprekken met de notaris gevoerd hoe de nalatenschap het beste kon worden vastgezet. En inderdaad, Marit, het is jouw erfenis.'

Vader Anton nam het gesprek over. 'In de papieren staat dat jij vanaf de dag waarop je je éénentwintigste verjaardag hebt gevierd de beschikking krijgt over het geld.

Bovendien ben ik je voogd. Als ik "nee" zeg, zegt de wet met mij nee. Maar we zullen je niet dwarsbomen, lieverd, we willen je in alles helpen. Als het Apeldoorn wordt, dat is toch niet zo ver? We zullen je vaak genoeg zien, ja toch?'

Diezelfde avond nog, bij zijn thuiskomst, rond half tien, vertelde Eveline Jurrien: 'Marit is hier geweest. Ze heeft plannen uit huis te gaan. Weg uit Voorberg. Ze heeft in De Telegraaf een advertentie gezien van modehuis "Van Baarle" in Apeldoorn. Daarop wil ze schrijven.'

'Het is begrijpelijk dat ze op een advertentie als deze wil reageren. Ze is tenslotte een goede verkoopster, maar misschien is het beter een totaal andere branche te kiezen. Als ze echt veranderen wil tenminste. In Apeldoorn gaat ze weer om dametjes in mooie kleren draaien en jubelen dat het zo geweldig staat! Wat een verandering! Als het doorgaat zal ze in Apeldoorn woonruimte zoeken en als dat lukt, gaat ze er alleen wonen. Dat is wel iets anders voor Maritje!! Geen papa en mama om zich heen.'

'Ze wil zelfstandigheid. Eigen woning, eigen huishouding, vrienden en vriendinnen over de vloer. Je snapt het wel.'

'Ze heeft in elk geval de wijze les geleerd niet de eerste de beste scharrelaar met lokkende ogen mee te nemen naar haar nestje. Maar ze zal aan thuis terugdenken. Ze heeft aan de Spanjaarddreef de mooiste kamer van het huis, groot en licht. En de verzorging is volledig. Van ontbijt met versgeperste sinaasappelsap tot de avondmaaltijd met altijd een heerlijk toetje, want in toetjes is mama meesterlijk. De wasmachine staat in de bijkeuken. Het wasgoed dat op dinsdag in de wasmand wordt gegooid is op donderdag klaar. De bloesjes gestreken op hangertjes. Maar,' Jurrien keek met een moeizaam lachje naar Eveline, 'dit is allemaal onzin. Ik begrijp dat ze meer vrijheid wil. De geschiedenis "Joost" heeft een diepe wond in haar hart achtergelaten. Ze probeerde het van zich af te zetten, maar nu ik dit plan hoor weet ik dat dat niet gelukt is. Daarom wil ze het op een andere manier proberen te vinden. Op zich is daar niets op tegen. Jonge mensen moeten toegeven aan wat ze willen in het leven. De toekomst kijkt naar je uit!! Ik weet dat mijn ouders zich dat zullen realiseren. Kleine kinderen worden groot en verlaten het ouderlijk huis. De wijde wereld lokt!! Maar in een modezaak in Apeldoorn en alleen in een flatje? Ik zeg het cynisch, Evelien, maar, dat is het, ik vind het naar voor mijn ouders. Ze houden van Marit. Ze hebben beloofd voor haar te zorgen en dat zal moeilijker worden als ze uit Voorberg vertrekt.'

6

Joris toetste het nummer van Jurrien en Eveline in.
'Hallo, Eveline, met Joris. Het is alweer even geleden dat wij elkaar hebben gesproken, maar ik ontmoette Jurrien wel in de tussentijd. Hij zei me dat jij en hij het leuk vinden als ik een avondje langskom! Ik vind dat ook leuk. Nu bel ik om te vragen wanneer het gelegen komt; ik heb iets bijzonders te vertellen! Niet bijzonder voor jullie, maar wel voor mij! En ik weet dat jullie er belangstelling voor hebben.'
'Joris, je maakt me nieuwsgierig. Even denken, zaterdagavond, kan dat?'
'Ja, dat is uitstekend. We praten nu niet verder, we zien elkaar zaterdag. Ik verheug me erop. Dag, Eveline, dag...'
Eveline glimlachte. Echt Joris, hij toonde hoe prettig hij het vond bij hen langs te komen, hij verborg dat niet. Joris was zo open...
Die zaterdagavond begon het gesprek met kleine nieuwtjes van beide kanten.
Toen zei Joris: 'Ik wil jullie iets vertellen. Het klinkt mogelijk wat kinderachtig en dat is het misschien ook, maar jullie zijn, buiten de toneelvrienden, de enige mensen die met me meeleven waar het mijn hobby betreft. Mijn vader vindt het hele gedoe "poppenkast", woorden babbelen over gebeurtenissen die niet bestaan. Een verhaal bedenken is voor hem hetzelfde als liegen. Men noemt het in deze sfeer fantaseren, maar, vindt mijn vader, het is doodgewoon liegen. Niet met die man te praten dus! En ook nog: toneelspelers zijn domme mensen die zeggen en doen wat anderen hen opgedragen hebben. Nu doe je een stap naar voren. Nee, niet twee stappen, ik zeg één stap!! Mijn moeder heeft er totaal geen gedachten over. Zij vindt dat ik mijn tijd beter kan gebruiken door één of andere studie te volgen. Via de bank kan ik een cursus kiezen om voor een hogere functie in aanmerking te komen. Dat brengt tenminste geld in

het laatje. Ik praat bij hen niet over de toneelgroep, dat begrijpen jullie wel. Dat weten jullie trouwens ook. Nou, wat is er gebeurd?', zijn ogen glansden, 'enige weken geleden waren we bij elkaar om over een stuk voor volgend jaar te praten. Ik had daar mijn gedachten over laten gaan, het moest een heel ander onderwerp worden dan wat we in de voorbije jaren op de planken hebben gezet. Een andere richting. Ik had een goed idee. Dat bracht ik naar oren, ik legde het verhaal in het kort op tafel. Ze waren meteen enthousiast. Ik hield natuurlijk rekening met de capaciteiten en het uiterlijk van onze mensen. Met hen moeten wij werken en mijn plan viel bij vrijwel iedereen goed. Hans Bovenkamp bood aan me met de uitwerking te helpen. Ik was blij met zijn hulp, want het is een flinke klus een script voor een toneelstuk goed op papier te zetten. Wanneer zegt nummer één dit, wat doet nummer twee intussen en wat antwoordt nummer drie? En waar staat nummer drie dan op het toneel...'

'Joris, wat geweldig! Je hebt er voor jezelf ook een rol in geschreven?'

'Een bescheiden rolletje.'

'Bescheidenheid siert de mens, maar als je té bescheiden bent, je weet het, schuif je jezelf zonder dat men het om je heen merkt, naar de achtergrond en...'

Op dat moment hoorden ze dat de achterdeur open werd gedaan en weer gesloten werd.

Marit stapte de kamer binnen. 'Hallo, allemaal,' groette ze vriendelijk. "Ik dacht: ik loop even bij mijn broer en schoonzus binnen, maar ik zie dat jullie visite hebben.'

'Eén mannetje maar!'merkte Joris op, 'en dat mannetje heeft geen geheimen te vertellen.'

'Ik stel jullie aan elkaar voor,' Jurrien stond op, 'Marit, dit is onze vriend Joris Veldkamp en Joris, dit is mijn zus Marit .' Hij keek haar recht aan. 'Je kunt, als je dat wilt, gewoon bijschuiven. Uit wat Joris opmerkte hoorde ik dat hij het niet erg vindt dat jij zijn vertellen aanhoort. Joris vertelde ons voor jij binnenkwam...' en Jurrien praatte in het kort over het nieuwe toneelstuk dat "in de maak" was. Hij voegde eraan toe: 'Naar een idee van Joris Veldkamp.'

Het werd een gezellige avond. Aanvankelijk was het onderwerp toneel en toneelstukken, maar na korte tijd stuurde Joris het gesprek in een andere richting en de drie gingen daarin met hem mee.

Het was al laat in de avond toen Marit opstond. 'Ik moet nu echt naar huis, wel jammer, want ik vind het gezellig.'

'Je bent op de fiets?' vroeg Joris en na haar instemmend knikken: 'Ik rij me je mee naar je huis. Dan weet ik dat je veilig bent thuisgekomen.'

Marit weigerde het niet. Waarom zou ze dat ook doen? Joris bood het aan en ze vond het een leuke jongen. Geen knaap om, wat uiterlijk betreft, meteen verliefd op te worden, maar, wist ze, verliefd worden op prachtige ogen en een lieve stem brengt je niet altijd de goede weg...

In de kamer zaten haar ouders nog te lezen.

'Hallo, meiske,' verwelkomde moeder haar hartelijk. Vader keek even op van zijn boek en knikte. Dat knikje betekende: fijn dat je er weer bent.

'Jurrien en Eveline hadden visite. Nou, echte visite was het eigenlijk niet. Er was één man. Jurrien stelde hem voor als een vriend. Hebben jullie wel eens van Joris Veldkamp gehoord?'

'Ja. Jurrien en Joris kennen elkaar al meerdere jaren. Joris heeft een bijzonder plekje in het hart van Jurrien. Je kunt wel zeggen dat hij sympathie voor Joris voelt. Hij mag hem graag en omgekeerd is dat ook zo. Die jongen heeft het in zijn kinderjaren niet prettig gehad thuis. Er was weinig gezelligheid, weinig aandacht voor hem van de ouders. Er was geen saamhorigheid in het gezin. Dat maakt het voor een kind niet veilig en knus. Zijn vader zorgde voor brood op de plank en zijn moeder hield het huis schoon, waste de kleding en het beddengoed. Er is nog een zoon in het gezin Veldkamp. Een jongen, drie of vier jaar ouder dan Joris. De ouders luisterden niet naar de kinderverdrietjes en de kinderzorgen. Moeder Veldkamp vond het "geleuter" en dat zal het ook vaak geweest zijn, maar voor de jongens waren het gebeurtenissen waarover ze wilden vertellen. Moeder kapte het luisteren ernaar af als zonde van haar tijd. Joris keek heel vaak naar spannende films. In zijn dagdromen na het kijken speelde hij mee in zo'n film. Niet als de dappere held, maar wel als de man achter de ontsnapping. Maar Joris was wel zo nuchter dat hij begreep dat hij als kleine jongen uit Voorberg nooit een rol in een film zou krijgen. Maar spelen dat je "een ander" bent kon op het toneel wél. In onze stad werd veel toneel gespeeld. Hij ging naar de uitvoeringen van "Kunst na arbeid" en naar de voorstellingen van het kindertheater "Poppenspel". Thuis las hij over toneel. Nadat hij zijn Mulodiploma in de zak had deed hij toelatingsexamen voor de toneelschool. Hij ging er vol goede moed op af, een jongen die zo dol was op toneelspelen moest toch naar de toneelschool, maar hij werd afgewezen. Dat is een bittere teleurstelling voor hem geweest. In die tijd ontmoetten Jurrien en hij elkaar. Joris vond de houding van zijn ouders normaal, hij wist niet hoe het in andere gezinnen toeging.

Joris vond na die afwijzing een baan bij de bank. In zijn vrije tijd hield hij zich bezig met, je weet het: toneel. Hij meldde zich bij 'Eigen Werk'. Dat is een stel enthousiastelingen die zelf de stukken schrijven die ze opvoeren. Ze ontwerpen en maken ook decors zoalsl zij vinden dat die eruit moeten zien. Als alles op poten staat brengen ze het verhaal voor het voetlicht.

Jurrien ziet Joris niet vaak. Ze zijn allebei druk met andere dingen. Jur heeft er grote bewondering voor hoe de jongen zich zonder geestelijke steun van de ouders en na de teleurstelling van de toneelschool, doorheen heeft geslagen. Hij zei eens: "Joris is van een klein, eenzaam ventje op pad gegaan naar een eigen plekje in de maatschappij." Dat vond ik mooi gezegd. Het schijnt een aardige, opgewekte jongen te zijn.'

'Toen ik binnenkwam was het onderwerp, dat kon dus niet anders: de toneelgroep. Jurrien zei dat ik welkom was – toch aardig van mijn broer – maar dat ze graag wilden doorpraten over hun onderwerp. Ik knikte, prima, ik ben zo gemakkelijk! Joris vertelde dat ze volgend jaar opnieuw een stuk willen opvoeren en dat hij daarvoor het script heeft bedacht. Dat is toch knap! De groep is er enthousiast over. Eén van de leden van de club heeft aangeboden hem te helpen bij het schrijven, want dat is nog een heel werk.

Joris vertelde dat hij bij het schrijven de mensen van de groep en hun uitstraling voor ogen hield. Je kunt in je verhaal een heersende koning op een troon willen zetten, maar dan moe je wel een man in de groep hebben die daar het postuur en de uitstraling voor heeft. Als er geen krachtpatser tussen zit zet niemand een koning op de troon.'

'Je hebt er al kijk op,' merkte vader lachend op, 'zo simpel is het schrijven van een toneelstuk dus.'

'Ik wilde ook iets zeggen. Ja, ik zat erbij tenslotte. Ik vroeg of er narigheid ontstaat bij het verdelen van de rollen. Joris antwoordde dat dat in de kring niet gebeurt. De leden weten dat iedereen de rol krijgt die het beste bij haar of hem past. Dan alleen kun je samen een goed stuk op de planken zetten. Maar, dat gaf Joris wel toe, er zal bij de één of ander in stilte wel eens een kleine teleurstelling zijn.'

Marit stond op. 'Het was een gezellige avond. Jurrien, Evelien en ik hebben afgesproken naar de opvoering te gaan.'

Ze liep naar de kamerdeur.

'Joris is met me meegefietst door de donkere, verlaten straten van Voorberg om me veilig thuis te brengen. Welterusten.'

Marije lachte. 'Ja, wel te rusten. Een lief gebaar van Joris.'

Twee weken later belde Joris.

'Hallo, Marit, ik ben nieuwsgierig hoe het met je gaat.'

'Wat een belangstelling!', ze riep het op een niet echt vriendelijke toon. Er klonk ook iets van cynisme in.

Joris pikte het meteen op.

'Het was goed bedoeld, Marit, neem me niet kwalijk. Het was mijn bedoeling niet je te storen. Nog een prettige avond,' en voor ze iets kon zeggen verbrak hij de verbinding. Ze bleef een beetje verbaasd en beteuterd met de hoorn in de hand zitten, legde hem daarna terug op het toestel. Was Joris geschrokken van haar reactie? Maar zo heftig bedoelde ze het toch niet? Hij vroeg hoe het met haar ging, dat leek op belangstelling, maar zij vermoedde erachter dat hij contact wilde zoeken... En, vond ze dat naar? Eigenlijk niet. Langzaam groeide het gevoel van spijt. Joris was een aardige vent, ze had het zo niet bedoeld... Maar het was gebeurd en ze kon het niet terugdraaien. Of wel? Hem bellen en zeggen dat ze het zo niet had bedoeld. Ze kon Jurrien vragen om het telefoonnummer. In een impuls draaide ze zijn nummer.

'Jurrien...'

'Jur, met Marit. Heb jij het telefoonnummer van Joris?'

'Van Joris? Wil jij Joris bellen?'

'Joris heeft mij gebeld. Tien minuten geleden. Hij vroeg hoe het met me ging en daar reageerde ik met een honend lachje op. Niet echt honend, maar wel een beetje honend. Daarop zei Joris: "Neem me niet kwalijk en legde neer.'

'Je kent Joris niet, maar neem van mij aan dat het een bijzonder fijne vent is. Hij is in het verleden vaak te hard aangepakt door zijn ouders en hij is door hen in de steek gelaten. Nu hij volwassen is is hij daar overheen gekomen, maar soms is hij onzeker. Ik ken hem goed genoeg om te zeggen dat hij teleurgesteld is. Hij wilde je bellen, aarzelde, wel doen of niet doen, toch de moed "ja" en dan jouw reactie. Het was dus niet goed geweest. Als je het kunt opbrengen lijkt het me het beste hem te bellen. Niet omdat ik het zwakke hartje van Joris wil beschermen, want zo is het echt niet. Hij gaat er niet onder gebukt, maar hij trekt het zich wel aan. En hij zal geen contact meer met je zoeken. Ik wil je niet aan Joris koppelen, dat weet je, jij vindt de weg naar het geluk wel, maar Joris is een fijne vent. Ik waarschuw je hem niet bij de hand te nemen voor tijdelijk, als afleiding een vriendje te hebben. Daar is Joris te goed voor. Hoor je me,

klein zusje?!' Hij zei het lachend, maar Marit wist hoe hij het be-doelde.
'Ik bel hem meteen.'
Ze draaide het nummer.
'Joris Veldkamp.'
'Joris, met Marit. Ik wil je zeggen dat het me spijt dat ik je zo-even niet echt vriendelijk te woord stond. Ik hoorde je woorden, in een flits dacht ik: nieuwsgierig naar hoe het met mij gaat? Nee, je wilt contact met me...'
Van de andere kant van de lijn klonk een lach. 'Marit, ja, dat was ook zo. We hebben zaterdagavond gezellig met z'n viertjes gepraat. Ik vind je aardig, ik vind je ook lief om te zien en ik was bang dat het na die avond lange tijd stil tussen ons zou zijn. Dat wil ik niet. Dus, Marit, je had wel gelijk, maar na je antwoord dacht ik dat je boos was over mijn belletje.'
'Nee, dat was niet zo.'
'Het lijkt me een goed idee binnenkort samen ergens heen te gaan. Vrijdag is ereen muziekavond in "De Notenbalk". Er speelt een goed orkest. Lillian Zevenhoven zingt chansons. Lillian en ik kennen elkaar goed. Ze heeft me twee uitnodigingen gestuurd. Ik dacht: leuk er met Marit heen te gaan. Daarom belde ik je. Als inleiding de vraag hoe he met je gaat...'
'Maar dat werd afgehakt.' Nog even het boetekleed aantrekken.
'Je hebt over één en ander genoeg gezegd. En, Marit, ik geloof je.'
Na nog even praten legde ze met een blij gevoel de hoorn neer.
Joris had haar gevraagd vrijdagavond met hem mee te gaan; ze moest er niet over nadenken en er niets achter zoeken. Hij had twee uitnodigingen van de zangeres gekregen, er niet heengaan zou ze onaardig vinden, maar wie kon Joris vragen? Na de avond bij Jurrien en Eveline wist hij het: Marit. Hij kende haar nu en zij kende hem. Meer was het niet en meer hoefde het niet te worden. Mama had, na Joost, gezegd: "Lieverd, wacht rustig af wat het leven je brengt. Je bent nog jong. Wat voor je bestemd is komt naar je toe.' Moeder

wist dat Joost zeker niet voor "later" was, moeder wist niets van haar dromen en fantasieën voor later over Jurrien, ze was toen vijftien, zestien. Jurrien paste bij haar, ze kende hem, ze wist zijn vervelende eigenschappen en al het goede wat hij te geven en te delen had, het was vriendschap die van genegenheid naar liefde zou groeien. Jurrien was eigen en vertrouwd. Mama had gezegd: "Hij is je neef. Opa Kenter zei eens: 'Neef en nicht vrijt licht.'" Dat was volgens opa een gezegde in hun omgeving. Zo'n gezegde moest toch ergens vandaan komen en een achtergrond hebben, een waarheid ook.

'Joris heeft me uitgenodigd vrijdag met hem mee te gaan naar een muziekavond in "De Notenbalk". Er zingt een meisje, misschien is het al een vrouw, ik heb nog nooit iets over haar gehoord of gelezen. Ze heet Lillian Zevenhoven. Ze kent Joris en ze heeft hem twee uitnodigingen gestuurd.'

'En omdat hij alleen is,' merkte vader Anton op, 'vraagt hij jou met hem mee te gaan.'

Hij zag de boze blik van Marije. Hoe kon hij zo'n vervelende opmerking plaatsen...

'Zo is het. Maar waarom zou ik niet met hem meegaan?'

'Natuurlijk, meisje.' En op bedachtzame toon praatte Marije verder: 'Het is vreemd dat Jurrien Joris allang kent, hij vertelde nu en dan over hem, maar dat die jongen nog nooit hier in huis is geweest.'

'Weet je wat,' Marit zei het lachend, 'als hij vrijdagavond op de bel drukt doe ik de deur open en ik zeg: ik moet nog even mijn neus poederen. Joris loop mee naar de kamer, even voorstellen: mijn moeder, mijn vader...'

Joris reed zijn kleine Suzuki tot vlak voor het huis. Hij stapte uit, liep naar de voordeur en drukte op de bel.

Hij hoorde voetstappen in de gang. Marit trok de deur open. Hij hoorde haar lichte lach en de stem: 'Dag Joris, kom even binnen. Ik moet mijn neus nog poederen.' Ze liep voor hem uit naar de kamer, 'even voorstellen, mijn moeder, mijn vader...'

In de keuken dacht ze: ik heb het script bedacht en het stuk opgevoerd!

"De Notenbalk" had een mooie zaal, gezellig ingericht. Goede stoelen rondom de tafels. Achterin de zaal een laag podium waarop de instrumenten van de musici stonden. Er waren veel bezoekers. Joris en Eveline zochten een plaatsje, niet voorin, maar wel zo dat ze het gebeuren goed zouden kunnen volgen.

'Lillian is de vriendin van één van de jongens van "Eigen Werk". Ze is bij elk optreden van de groep aanwezig. Natuurlijk om Menno, maar ze heeft belangstelling voor het geheel. Het schrijven van het stuk, de repetities en de uitvoering. Ze vertelde dat ze hier vanavond gaat zingen en nodigde me uit te komen. En ik dacht: het zou leuk zijn als Marit met me mee wilde...'

Het werd een genoeglijke avond. Marit dronk een drankje, luisterde naar Joris die leuk vertelde en zij praatte over haar werk in het modehuis en het plan na alle belevenissen een nieuwe richting in te slaan. De advertentie van modehuis "Van Baarle", de mogelijkheid, als ze daar zou worden aangenomen, in Apeldoorn te gaan wonen.

'Ik begrijp dat je het gevoel hebt een nieuw leven te willen beginnen. Weg van huis, los van je ouders, geen vragen waar je heen gaat, geen spiedende ogen of je verkeerde dingen doet. Alles nieuw en alles anders. Maar, Marit, denk erover na voor je de stap neemt naar Apeldoorn te verhuizen. Ik durf er eigenlijk nog niet over te praten, maar na wat je vertelt denk ik toch dat het goed is dat wel te doen. Ik weet dat het tussen ons nog heel pril is, hoe lang kennen we elkaar, hoe dikwijls brachten we een avond samen door, maar, Marit, ik voel dat tussen ons een stil verbond ligt. Ik weet het. Ik ken veel meisjes en er zijn er bij, werkelijk,' even gleed een lachje over zijn gezicht, 'die meer met me willen dan alleen vriendschap, maar ik sta te los van hen. In jou zie ik iets van herkenning, je hoort bij me, je past bij me. Ik weet dat wat ik voor jou voel groeit naar een echte, warme liefde. En ik voel ook,' hij keek haar lief aan, ze wist niet wat te denken, nog minder wat te zeggen, 'dat het van jouw kant ook zo zal worden. Nu is het er nog niet, ik ben Joris Veldkamp, niet knap, niet bijzonder, maar als wij vaker met elkaar omgaan wordt het voor allebei de grote liefde.Als het de kans krijgt te groeien. Het kan ook met Apeldoorn groeien, natuurlijk, zover is die stad niet, maar beiden in Voorberg is beter.'

'Ik weet niet wat ik hierop moet zeggen. Ik weet ook niet hoe erover te denken.'

'Ik begrijp dat het je overvalt. Jij hebt weggedrukte gedachten aan Joost en je koestert de nieuwe gedachten die daarvoor in de plaats zijn gekomen, verandering van woonomgeving en werk. Voor mij is het anders. Ik zag je en ik wist: dit is ze!! Ik wilde dat weten stilletjes van binnen bewaren en koesteren. Er niet over praten, het was voor jou nog "te jong", dat is er het goede woord voor. Maar nu ik hoor van je plannen is het goed te zeggen wat mijn gevoelens voor jou zijn. Als je het absoluut niet tussen ons ziet zitten kun je het contact verbreken. Als we vrienden blijven geen we de liefde de gelegenheid te groeien. Marit, ik geloof in een fijne toekomst tussen ons.'

Ze zat heel stil. Dit was een complete liefdesverklaring van Joris. Maar zag ze iets in Joris? Ze was beslist niet verliefd op hem. Ze vond hem aardig en sympathiek, hij was anders dan de jongens die ze kende en hij trok haar wel aan. Joris dacht anders, minder nuchter. Maar een toekomst met hem...

'Joris, ik schrik van je woorden en ik weet niet wat ik moet zeggen. Ik vind je aardig, maar ik ben niet verliefd op je.'

'Ik vraag het je te laten doorgaan zoals het nu is. Je mag me wel, je vindt het prettig met me om te gaan, in mijn gezelschap te zijn. Dat is toch zo?

We hebben beiden liefde voor muziek, toneel, de natuur. We houden er allebei van. Laten we er samen van genieten en het aan de toekomst overlaten wat er gebeurt tussen ons...'

Op een nog donkere morgen in het begin van juni van het volgende jaar, werd, na een heftige nacht, de baby van Eveline en Jurrien geboren. Een jongen, een zoon.

De dokter waste zijn handen in de badkamer, de kraamverpleegster kleedde het kindje aan. Eveline lag kreunend en bevend in het bed en Jurrien, op zijn knieën naast het bed, probeerde haar rustiger te krijgen.

'De baby is er, lieveling, en hij is gezond! Hij huilt! We zijn blij dat hij huilt, dat zal in de toekomst wel eens anders zijn.' Hij zei het met een licht lachje, om haar te kalmeren.

'Ja, dat is fijn. En ik ben ook blij, heus wel, natuurlijk wel, maar alles in mijn lichaam doet pijn en ik kan niet stil liggen, ik tril zo!'

De dokter kwam terug in de slaapkamer. Hij glimlachte naar haar. 'Het was een moeilijke bevalling. Denk nu: het is voorbij. Laat het huilen en trillen maar toe, het zakt beslist af en het verdwijnt. Dan dringt pas echt tot je door wat er gebeurd is. Je hebt een kind, Jurrien en jij hebben een kind. Jullie wilden toch zo graag een kindje? Mijn grootmoeder zei vroeger: "Maar je koopt het niet in een kindertjeswinkel."'

Hij had intussen een glas gevuld met water en met het glas in de ene hand en een tabletje in de andere hand liep hij naar het bed.

'Neem dit maar in, dan wordt het snel beter. Maar je hebt je kranig gehouden! Ik heb af en toe tegen je geschreeuwd, maar dat kon niet anders omdat er geen tijd voor "even wachten" was. Dan kreeg de baby te kort zuurstof en daaruit kunnen heel nare dingen voortkomen. Daarom was ik een beetje "niet leuk" tegen je.'

Eveline had het pilletje doorgeslikt en een paar slokken water gedronken.

'Hebben jullie al een naam voor deze nieuwe wereldburger?'

'Ja, dokter,' vertelde Jurrien trots, 'we noemen hem Anton, naar mijn vader. Wij houden van tradities. In de familie Beekman gaat het ver in de tijd terug met de namen Jurrien en Anton. We hebben er de naam Jan aan toegevoegd. De naam van Evelines vader. De beide grootvaders van de baby zijn dus vernoemd: Anton Jan.'

Toen de dokter het huis had verlaten met de belofte vóór de avond nog even langs te komen om te zien of alles naar wens verliep, zei Jurrien: 'Ik bel onze ouders. De moeders. Zij geven het door aan de vaders.'

Na het horen van zijn stem zei Marije Beekman: 'Jongen, ik voelde het vanmorgen! Deze dag wordt de baby geboren! Een zoon zeg je en alles is goed, met Eveline en met het kleine kereltje! Wat heerlijk! Ik bel direct naar vader. Wat zeg je, hebben jullie hem naar vader vernoemd? Anton, wat heerlijk! Hij zal er heel blij mee zijn!'

Het volgende telefoontje ging naar Evelines moeder. 'Met Jurrien, we hebben een zoon! Onze zoon is geboren! Alles is goed, Eveline heeft het erg moeilijk gehad, het was een worsteling. Ik vond het vreselijk. Maar de dokter riep: "Er is geen weg terug, volhouden, Evelien!" En eindelijk kwam het kindje. Ik schrok toen ik hem zag. Hij zag er zo verkreukeld uit, een beetje blauw ook, maar de dokter en de verpleegster waren niet ongerust. En toen de zuster ons kereltje had gewassen en hem kleertjes had aangetrokken was het een mooie, schattige baby. Rond kopje, klein neusje... U komt toch in de loop van de dag even langs?'

Martha Welkers zei lachend dat ze dat beslist van plan was.

In de loop van de middag kwamen de beide oma's. Even later, na hun werktijd, de beide opa's. Hans nam een prachtige beer mee, tante Marit een snoezig jasje en muts. Een echte jongensmuts.

7

VIJF JAREN GINGEN VOORBIJ.
In vijf jaren kan veel gebeuren. Het kunnen hectische, chaotische en
verdrietige jaren zijn. Zoals de jaren van 1940 tot en met 1945
waren. Toen omringden dood, onrecht, angst, ellende en nog meer
duizenden en duizenden mensen. In andere tijden is het leven goed.
De weken, maanden en jaren gaan voorbij met hoogte- en dieptepunten
en vrijwel elk mens krijgt daar zijn deel van, maar, zegt men, zo is
het leven.
Voor de families Welkers en Beekman waren deze vijf jaren goed
geweest.
Jan en Martha hielden nog steeds van elkaar. Ze waren blij en gelukkig met hun kinderen en kleinkinderen. Hans trouwde drie jaar
geleden met Erna, Eveline was al langer dan vijf jaren getrouwd met
Jurrien. Zij waren de trotse ouders van Anton Jan en de kleine
Marthy.
Toen in een gesprek het nieuws was gevallen dat als het tweede
kindje van Jurrien en Eveline een meisje zou zijn, het naar Eveliens
moeder vernoemd zou worden. Moeder Martha had gezegd dat ze
het heerlijk vond misschien vernoemd te worden, een kleine Martha
in de wieg. Maar ze vertelde dat ze graag wilde dat het meisje in het
dagelijks leven Marthy genoemd zou worden. In haar kinderjaren
wilde ze dolgraag Marthy genoemd worden, dat vond ze mooier
dan Martha. Haar moeder had daar geen bezwaar tegen, als het kind
dat zo graag wilde, nou, waarom niet. Marthy klonk toch leuk?
Maar vader Kenter vond het niet goed. "Je heet Martha, naar je
grootmoeder, we noemen je Martha." Jurrien en Eveline gaven hun
dochtertje de doopnaam Martha, maar ze gebruikten de naam
Marthy voor het kleine meisje. Ze was nu anderhalf jaar, een blond
poppetje dat parmantig door het huis stapte.
Ook het huwelijk van Hans en Erna was goed. Ze hadden beiden

een baan, die met een goed salaris beloond werd. Voor hun huwelijk maakten ze de afspraak dat Erna haar baan zou aanhouden tot een zwangerschap zich aankondigde. Ze waren al nu al drie jaren getrouwd. Het eerste jaar had Erna trouw elke avond de pil ingenomen. Maar na dat jaar was hun verlangen naar een kindje zo sterk geworden dat werd afgesproken te stoppen met het anticonceptiemiddel. Maar tot nu bleef een zwangerschap uit.

Anton en Marije Beekman waren ook tevreden met het leven. Met hun twee kinderen, Jurrien en Marit ging het uitstekend. Jurrien was met Eveline getrouwd, Marit met Joris. Over de "verkeringstijd" van die twee had Marije nu en dan stilletjes plezier gehad. Joris was een schat van een jongen, lief, behulpzaam en stapeldol op Marit vanaf de dag waarop hij haar voor de eerste keer had ontmoet. Maar zo zeker was de liefde van haar voor hem toen nog niet.

"Mam, ik vind Joris echt een geweldige vent, hij is een fijne vriend, ik wil hem ook kussen en als hij mij kust danst mijn hele lichaam, maar het weten dat Joris ervan overtuigd is dat wij over enkele jaren zullen trouwen, ja, dat geeft een vreemd gevoel. Alsof er iets beslist is zonder mijn medeweten. Ik vind dat niet prettig, het maakt me onrustig."

Daarop had Marije de raad gegeven: "Zet het denken daarover uit je hoofd, leef je eigen leven. Met Joris praten, lachen, uitgaan, ruzietjes maken, het weer goed kussen en rustig afwachten hoe één en ander verloopt. Als de dag komt waarop je denkt 'dit wil ik niet', zeg je hem dat en ben je weer een vrije, jonge vrouw."

Maar de liefde groeide en op n zonnige dag in juli trouwden Joris en Marit.

Deze middag, in september ging Anton Beekman even na vijf uur weg uit het kantoor van de firma Berendonk, een groothandel in huishoudelijke artikelen. Na het dichttrekken van de brede deur praatte hij een minuut of tien met een collega. Daarna stapte hij op zijn fiets. Het was heerlijk herfstweer, hij genoot na een dag binnenzitten van het ritje naar de Spanjaarddreef.

Hij reed zijn fiets om het huis en zette hem in het schuurtje. Hij nam zijn aktetas vanonder de bagagedrager en liep oer het terras naar de achterkant van de woning. Tijdens dat loopje keek hij door het brede raam van de woonkamer, maar hij zag Marije niet. Ze zou in de keuken zijn. Bezig met de maaltijd. Maar in de keuken was ze ook niet. Er stonden wel pannetjes op kleine vlammetjes. Hij ging de kamer binnen. De tafel stond gedekt, het lichtblauwe laken strak over de tafel getrokken. De borden, aan elke kant één, de bloemmotieven naar elkaar gekeerd, zo hoorde het, zo wilde Marije het. Naast de borden lag het bestek.

Ze lag op de bank. Onder haar hoofd een kussen van hun bed. Hij zag het aan de sloop met de rode roosjes. Over haar heen de plaid die hij voor haar verjaardag als cadeautje had gekocht. "Een plaid," had ze gezegd, "lijkt me heerlijk. Je kunt eronder kruipen, maar ook om je heen slaan als je je niet lekker warm voelt."

'Marije, wat nou?', hij legde een lichte klank in zijn woorden, maar hij voelde een heftige angst.

'Dag, Anton,' begroette ze hem en dan, even overeind komend, steunend op één elleboog, 'zeg dat wel, wat nou?' Hij kende haar goed genoeg om te weten dat zij het ook luchtig probeerde te zeggen. 'Ik ben de hele dag al niet in orde. Misselijk, moe en ik heb pijn in mijn buik. Ik kan zeggen "echt vrouwenklachten", maar daar moet ik toch overheen zijn. Ik heb wel voor het eten gezorgd. Het zal klaar zijn. Alles staat op lage pitjes.'

'Ik heb het gezien.' Hij keek toe hoe ze probeerde te gaan zitten; het ging moeilijk. Zijn angst groeide. Dit was niet goed, dit was geen onschuldig griepje of een naar gevoel omdat ze iets verkeerds had gegeten. Nu zat ze rechtop. De haren in de war, de blauwe bloes gedraaid om haar lichaam, een vermoeide en ook verdrietige trek op haar gezicht.

'Ik breng alles naar binnen. Kom jij maar aan tafel.'

Hij liep naar de keuken, bracht de pannetjes naar de kamer en plaatste ze op de onderzetters. Sperzieboontjes, gestoofde peertjes, aardappelen e in het braadpannetje het vlees.

Marije zat tegenover hem. Ze schepte twee aardappeltjes op haar bord, ze nam een klein stukje vlees en een paar boontjes. Ze probeerde moedig te eten, maar hij zag hoeveel moeite het haar kostte. Hij begreep dat ze het probeerde om hem niet ongeruster te maken dan hij al was.

Toen de borden leeg waren zei hij: 'Ga jij maar weer op de bank liggen. Ik breng alles naar de keuken. Ik maak de pannetjes leeg en spoel alles met warm water af. Morgen zien we wel weer. Misschien is het goed een paracetamol te nemen. Als je even kunt slapen voel je je straks misschien beter.'

Terwijl ze naar de bank liep vroeg hij, hoewel hij het antwoord wist: 'Is dit de hele dag al aan de gang?'

'Ja, eigenlijk wel. Toen ik vanmorgen uit bed stapte voelde ik me als een zoutzak, zoals Jurrien dat noemt. Niet lekker, slap, akelig, pijn. Dat is de hele dag gebleven.'

'Heb je eraan gedacht mij in de loop van de morgen te bellen?'

'Welnee, zo ernstig is het toch niet?! Elk mens voelt zich wel eens lamlendig. Mij treft het vandaag.'

Anton knikte. 'Als het vannacht niet afzakt moet morgenochtend de dokter gebeld worden.'

'We moeten het niet te ernstig opvatten. Ik ben nooit ziek en dan schrik jij als het wel eens gebeurt, maar niet meteen in paniek. Dat is beslist niet nodig.

Het werd een onrustige nacht. Marije lag in bed, maar ze kon de slaap niet vatten. Ze draaide zich meerdere malen om om te trachten een houding te vinden die haar beter voegde. En Anton, naast haar, kon ook niet slapen.

De volgende morgen belde hij voor hij naar kantoor ging de praktijk van de huisarts. De assistente luisterde naar hem.

'Kan uw vrouw naar de praktijk komen? De dokter heeft het vreselijk druk. Vanmorgen een vol spreekuur en vanmiddag de bezoeken aan ernstige patiënten.'

'Mijn vrouw kan niet naar de praktijk gaan. De dokter moet haar bezoeken. Ik maak me zorgen over haar.'

Via de lijn klonk een overdreven diepe zucht.

'Ziet u het niet te ernstig in, meneer Beekman? De symptomen die u noemt zijn niet verontrustend. Moe, misselijk en wat buikpijn. Maar ik schrijf de naam van uw vrouw op het lijstje. Als de dokter tijd heeft komt hij langs. Als het hem vandaag niet lukt komt hij morgenmiddag. Goede morgen.' En de verbinding werd verbroken.

Anton schudde zijn hoofd. De assistentes van tegenwoordig waren bijna net zo mondig als de dokter.

Hij fietste naar het kantoor, werkte de hele dag, maar zijn gedachten waren thuis, bij Marije.

Voor Marije sukkelde de ochtend voorbij. Ze waste in de keuken de afwas weg, zakte daarna weer op de bank neer. Ze wilde de krant inkijken, maar ze had eigenlijk geen interesse in het nieuws.

In de middag kwam de dokter. Een jonge, vriendelijke man die haar aandachtig aankeek en vroeg wat precies de klachten waren.

Marije vertelde wat ze voelde.

'Het lijkt me niet ernstig, mevrouw Beekman. Hebt u in de voorbije dagen te veel werk gedaan?'

'Nee, beslist niet. Mijn man en ik zijn samen sinds de kinderen de deur uit zijn. Ik kan dit huishoudentje prima aan.'

'Is er misschien iets op het psychische vlak? Zorgen om de kinderen of iets in de familie? Ruzie, onenigheid? U weet ook dat bepaalde pijnen per definitie niet in het orgaan waar de pijn gevoeld wordt, behoeft te zitten. Het kan door nervositeit daar naartoe stralen.'

'Nee, dokter, dat is het beslist niet.'

'Ik schrijf een medicijn voor dat de buikklachten zal verminderen. Als dat afzakt verdwijnt ook het gevoel van misselijkheid.'

Hij legde het recept op de tafel, schudde haar de hand, zei dat hij een spoedig herstel verwachtte en vertrok.

Marije Beekman zat weer op de bank. Ze leunde met haar hoofd tegen de hoge rugleuning. Er was een vreemde onrust in haar, angst ook en het bijna zeker weten dat er meer aan de hand was dan alleen wat maagkramp, zoals de dokter veronderstelde. Ze had in haar leven meer pijntjes en ongemakken doorgemaakt, problemen met de blaas bijvoorbeeld, nu en dan moeilijkheden met de gal, maar ze had daarbij nooit het gevoel gehad dat het iets was wat "verkeerd" was, zoals ze het nu voelde.

Tegen vier uur belde Anton. 'Ik kon niet eerder bellen, ik had een bespreking. Hoe is het nu? Is de dokter al geweest?'

'Jongen, je moet je niet ongerust maken. En ja, de dokter is geweest. Hij ziet het niet ernstig in. Hij heeft pilletjes voorgeschreven. Als je naar huis komt moet je ze bij de apotheek afhalen.'

'Dat doe ik. Ga maar even slapen. Rust is goed, tijdens rust doet het lichaam zijn best weer te herstellen, dat weet je.'

'Ja, ik kruip onder de plaid. Tot straks.'

Anton haalde de medicijnen. Marije nam na de maaltijd een tablet-je in zoals op het doosje was voorgeschreven en nog één voor de nacht. Maar na drie dagen en nachten was er nog geen verbetering.

Zondagmorgen kwamen Marit en Joris op de koffie.

Marije had een mooie rok aangetrokken en een fleurig bloesje. Het kussen lag weer op het bed en de plaid had ze opgevouwen onder-in de kast gestopt. Tegen Anton zei ze: "Ik wil niet dat de kinderen horen dat ik me de laatste dagen niet lekker voel. Dat maakt ze ongerust, ze vragen zich af wat er met moeder is... En ik krijg tien-tallen goede raadgevingen. Daar heb ik geen zin in."

Toen de koffiekopjes op tafel stonden merkte Joris op, hij keek zin schoonmoeder recht aan: 'Is alles met u in orde, moeder Marije?'

Ze deed verbaasd: 'Alles in orde? Ja, natuurlijk, jongen.'

'Nee,' kwam Marit nu, 'Joris zegt het en het is ook zo, je ziet er vreemd uit, mam. Je hebt ook een rare kleur, een beetje grauw. Ik kan niet zeggen "echt ziek", maar er is wel iets aan de hand. Je kunt het ons toch vertellen? Ik ben je dochter en Joris is je schoonzoon!'

Ze zei het lachend. 'Je mag voor ons geen geheimen hebben als het om de gezondheid gaat.'

Marije kon niet anders doen dan over de voorbije dagen praten. Over het bezoek van dokter Westerlee en zijn diagnose dat er eigenlijk niets aan de hand was. De tabletjes die ze had gekregen, maar waarbij ze tot nu toe geen verbetering vond.

'Pap, mam, jullie moeten je niet door de dokter laten afschepen. Hij kan wel denken dat er niets aan de hand is, vrouwen klagen gauw over buikpijn, maar als je je drie, vier dagen lang niet goed voelt is dat niet normaal. Het is wat oma de Lange vroeger zei: er moet verbetering optreden, stilstand is achteruitgang.'

'Ik heb op kantoor gezegd dat ik maandagmorgen later kom omdat mama en ik eerst naar het spreekuur gaan.'

De verdere tijd, die Joris en Mait in het huis aan de Spanjaarddreef waren, ging over ziektes.

Ze fietsten terug naar huis. Thuisgekomen zei Joris: 'Het staat me niet aan, wat jij zei, je moeder heeft een rare kleur. Zo grauw. Over het algemeen ziet ze er blozend uit. Dat was enkele weken geleden nog zo. Ze is in de voorbije zomer vaak buiten geweest. Koffiedrinken op het terras, zonnen in de tuin, wandelen en noem maar op. Een frisse toet met rode wangen. En nu dit, nee, ik maak me echt zorgen, Marit.'

'Ik ook. Ik kan me niet herinneren dat mama ziek is geweest. Ja, wel eens een dagje snipverkouden. Zakdoeken van vader bij de hand, hoesten en proesten. Maar dat is niet abnormaal. Ik bel Jurrien. Jurrien en Eveline moeten het weten. Misschien wandelen ze vanmiddag even met de kinderen naar de Borgerlaan.'

'Als jij ze belt doen ze dat zeker.'

Marit draaide het nummer. 'Met Marit...'

'Hallo, zus,' klonk zijn stem blij van de andere kant, 'ik vind het vreselijk leuk dat je belt, maar je belt wel op een ongeleen moment. Evelien draaft met in elke hand een schaal met warme spullen naar de kamer. Marthy dribbelt steeds voor haar benen, het is goochelwerk, dus...'

'Stil even, kwebbelaar. Wij zijn vanmorgen in de Borgerlaan geweest. Moeder is niet in orde. Ze zegt er zelf niets over, je weet hoe ze is, maar Joris merkte op dat ze er niet goed uitziet. Ik beaamde dat, want ik had het ook gezien en toen vertelde ze dat ze al een dag of vier, vijf niet in orde is. Dokter Westerlee is geweest. Hij ziet het niet ernstig in. Hij heeft wel iets voorgeschreven, maar dar knapt moeder niet van op.'

'Marit, we gan er vanmiddag even heen of, als het met de kinderen te druk lijkt, stap ik alleen in de auto en neem poolshoogte. Dat moet ik met Eveline overleggen. Ze voert nu een heftige strijd om Marthy in de kinderstoel te krijgen. Die houdt haar beentjes stijf als een tinnen soldaatje. Evelien duwt door, het kind gilt en krijst... Soms zijn kinderen leuk, vaak ook lastige hummeltjes. Ik bel je nog, bedankt voor je telefoontje, doe Joris de groeten van ons.'

Die maandagmorgen reden ze naar het spreekuur. Er zaten drie mensen in de wachtkamer. Marije zag er vermoeid uit. Er werd gepraat over de nieuwe school, die in het stadsdeel Overstag gebouwd werd. En over het verkeer dat in de binnenstad steeds drukker en gevaarlijker werd. Zaterdagmiddag was een meisje van een jaar of tien aangereden. Een naar ongeluk...

Marije hoorde de stemmen van de andere patiënten wel, maar ze kon haar aandacht niet bij de onderwerpen houden. Dokter Westerlee kwam uit de spreekkamer om zijn volgende patiënt op te halen. Hij schudde Anton en Marije de hand. 'Komt u verder.'

Toen ze tegenover hem aan het bureau zaten zei hij: 'Ik neem aan dat het niet gaat zoals u en ik graag willen. U ziet er moe uit. Hebt u geen baat gevonden bij de medicijnen?'

'Nee, totaal niet.'

'Het lijkt me het beste dat ik een verwijskaart schrijf voor de internist. Ik kan hier niet onderzoeken wat er mogelijk aan de hand is. Ik dacht, ondanks wat u erover vertelde, toch aan oververmoeidheid of zorgen. Daar vond ik uw handelingen naar uitgaan. De wat slome manier waarop u praatte, de wijze van kijken. Maar als u zeker weet dat het in die richting niet gezocht moet worden zullen we verder kijken.'

Hij schreef een verwijskaart uit. 'Als u straks naar het ziekenhuis belt maakt men een afspraak met de internist. Er zijn er vier in het ziekenhuis. Bij de administratie weten ze wie snel tijd voor u heeft. Daarna loopt alles vanzelf. Na het onderzoek weten we meer. Ik krijg van het onderzoek bericht, ik kom dan zo spoedig mogelijk bij u langs.' Met een stevige handdruk namen ze afscheid van de dokter.

In de auto zei Anton: 'Nu komen we tenminste een stapje verder.' 'Dat is zo,' reageerde Marije. Ze rilde even. Ze had het koud en ze voelde zich ziek en angstig.

Dit was het begin van de lijdensweg van Marije Beekman. Al gauw werd kanker geconstateerd, onderzoeken, praten, bloedprikken...

De internist, een man van tegen de zestig, praatte er open en eerlijk met hem over.

'Gelukkig is er tegenwoordig veel te doen aan kanker, dat weet u. Maar de onderzoeken en ook de behandelingen zijn niet prettig om te ondergaan. Maar helaas, een andere oplossing is er niet...'

In diep stilzwijgen reden ze terug naar huis. Marije stapte uit, opende de voordeur en liep naar de kamer. Anton reed de wagen op het parkeerplekje naast het huis. Marije trok haar jas uit, legde hem over een stoelleuning; Anton zou hem naar de kapstok brengen. Ze ging op de bank zitten. Tranen welden op in haar ogen en ze hield ze niet tegen. Kanker, darmkanker, het was iets om over te huilen.

Anton ging naast haar op de bank zitten en sloeg een arm om haar heen. 'Het is verschrikkelijk, lieverd, maar we zullen er samen tegen vechten. Jij moet de nare behandelingen ondergaan, ik zal je helpen zoveel ik kan. Je moet denken aan wat de dokter zegt: tegenwoordig is kanker niet in alle gevallen dodelijk...'

'Maar darmkanker, Anton, dat weten we allebei, is een agressieve kanker. Ik kan er niet mijn ogen voor sluiten. Dat heeft geen zin. Ik wil het moedig onder ogen zien, maar we moeten onszelf niets wijsmaken.'

De kinderen werden over de behandelingen ingelicht, de schoonouders van Marit, maar met hen was weinig contact. Ook de familie hoorde het slechte nieuws. De enige zuster van Marije, Christina, kwam. De zussen omhelsden elkaar en Christina beloofde: "Ik zal jullie helpen zoveel ik kan. Ik ben alleen, Theo is overleden, onze zoon is getrouwd en heeft zijn eigen leven. Ik kon je helpen met alles wat in huis moet doorgaan en met jouw ziek-zijn."

Zo begon een martelgang van onderzoeken, chemokuren en bestralingen. Marije was erg ziek. Ze werd voor enige weken in het ziekenhuis opgenomen, maar ze wilde terug naar huis. Perioden van enigszins rust, ze noemde ze zelf 'kleine oplevingen', dan weer de terugval naar pijn en verdriet.

Er werd een ziekenkamer voor haar ingericht. De laatste levensfase naderde. Op een middag kwamen Jurrien en Eveline.

'Eveline,' Marije praatte met een zachte stem, het spreken vermoeide haar, maar ze wilde de komende woorden zeggen, 'kom naast mijn bed zitten. Dicht bij me. Ik moet je iets vragen. Ja, Jurre, jij mag erbij zijn,' een lachje trok over haar magere, bleekwitte gezicht, 'maar de vraag is voor Eveline.' Even viel een stilte, toen zei Marije: 'Ik draag een groot geheim in mijn hart met me mee. Een geheim is iets weten wat geen ander mag weten dan jij alleen. Soms is een geheim iets tussen twee mensen. Zoals in dit geval, tussen vader en mij. En er is nog iemand die ervan weet. Vader en ik dragen het bij ons. We hebben afgesproken er nooit over te praten. We hebben er ook nooit over gesproken. Als we oud zouden worden en sterven nemen we het mee in onze graven. Wij waren ervan overtuigd dat niemand schade van ons zwijgen zou ondervinden. De laatste dagen denk ik daar anders over. Het geheim belast me, het bezwaart me, ik wil dat erover gepraat wordt. Papa is het niet met me eens, maar hij kan me niet verbieden er iets over te zeggen. Evelien, je moet naar je moeder gaan, alleen zijn met haar. Je vader mag nog niets weten.

Je moeder zal beslissen of ze het hem wil vertellen of niet. Jan Welkers staat er buiten. Maar je moeder weet ervan. Zeg tegen je moeder dat zij, na mijn dood en dat zal niet lang meer duren, de mensen die het aangaat moet vertellen wat lang geleden is gebeurd. Tot die mensen horen jullie beiden. En Marit. Joris staat er ook buiten. Maar hij mag het weten, Marit heeft geen geheimen voor hem.' Eveline had tijdens het praten de hand, die op de deken lag, in haar hand genomen. Een smalle, ijskoude hand. Ze zag tranen over het magere gezicht glijden. Jurrien zat naast haar. Ze voelde bijna zijn verstarde, rechte houding. Marije had haar gezicht naar hun kant gekeerd. Jurrien keek met ontzetting naar zijn moeder. Wat stelde dit voor? Wat was er aan de hand? Zijn moeder had een geheim... Het zou verband houden met Marit. Maar waarom vroeg moeder aan Evelien met háár moeder te praten? Wat zat hierachter verborgen? Waarom zei ze niets tegen hem, hij was toch haar zoon? Het kon in verband staan met het ongeluk waarbij de ouders van Marit de dood vonden. Misschien was er iets niet correct gegaan bij de afhandeling van de bezittingen, hadden zijn ouders dingen uit het huis ontvreemd die voor Marit bestemd waren.

Hij hoorde haar zachte stem: 'Doe het snel, Evelien. Morgen al. Ik wil haar antwoord voor ik sterf. God onze Vader kent me, hij begrijpt de beweegredenen van toen. Hij weet hoe ik nu lijd, maar hij draagt me er doorheen... Het is goed dat ik dit gevraagd heb. Het geeft me rust.'

Na deze woorden legde Marije Beekman haar hoofd voorzichtig in het kussen. Over haar gezicht gleed een vreemde grimas die Eveline verbaasde en bang maakte. Betekende deze trek dat moeder Marije dacht: "Zo is het goed, ik heb het gevraagd," of speelde spijt mee over de woorden die ze had uitgesproken? Het zou zowel het één als het ander kunnen zijn. Daarom vroeg ze: 'Moeder, wilt u echt dat ik met mijn moeder praat?'

De ogen van de zieke bleven gesloten. De stem zei: 'Ja kind, dat wil ik.'

Ze bleven nog geruime tijd bij het bed zitten. Er werd niets gevraagd en niets gezegd. Jurrien legde zijn hand op Evelines hand. Hij wist dat ze moeite had met de vraag van zijn moeder, want wat hield dit in, waar voerde het naartoe... Moeder had gezegd: "Na mijn dood." Was het dan nog belangrijk de waarheid te weten van iets wat zo lang een geheim was geweest?

Een zacht klopje op de deur. Christina kwam binnen. Jurrien en Eveline knikten naar haar. Het betekende: we denken dat ze slaapt... Maar mogelijk soesde de zieke alleen even weg, vermoeid na alle spanningen.

Ze stonden op. Christina ging op één van de stoelen zitten. 'Ik blijf bij haar.'

'Dat is fijn. Wij gaan naar huis. De kinderen zijn bij een buurvrouw. We halen ze weer op.'

In de auto vroeg Jurrien: 'Snap jij er iets van?'

'Nee. En ik vind je moeder geen vrouw om jarenlang met een belangrijk geheim te leven.'

'Nee, inderdaad niet. Ze is open, ze maakte niet van elke kleinigheid een probleem, ze ziet... ze zag, bijna altijd, de zonzijde.'

'Ik wil nadenken over de vraag van jouw moeder voor ik er tegen mijn moeder iets over zeg. En ik wil er met jou over praten. Moeder Marije heeft mij gevraagd tegen mijn moeder te zeggen dat ze over het geheim van jouw moeder moet praten. Dat is toch een ingewikkeld gegeven? Ik maak eruit op dat mijn moeder weet van het geheim. Maar moeder Marije zei: "Vader en ik deelden het samen".'

'Wellicht is het iets wat mijn ouders hebben ondergaan, maar jouw moeder was ervan op de hoogte.'

Jurrien draaide de Kerkstraat in.

'Hoelang kennen de echtparen Beekman en Welkers elkaar? Wij zijn vanuit Wansum naar de Borgerlaan verhuisd toen ik vier jaar was. In de beginperiode gingen Hans en ik nog niet als vriendjes met elkaar om. Daar waren we te klein voor. Dat gebeurde van ongeveer ons zesde jaar. Vanaf die tijd praatten de moeders af en toe met elkaar. Als buurvrouwen. En echt intiem, elke morgen bij elkaar op de koffie, is het niet geweest. Later kwam Marit bij ons in huis. Mogelijk heeft het met Marit te maken. Maar hoe en op welke manier dan? Ik heb geen idee wat er gebeurd kan zijn?!' Opeens draaide hij zijn hoofd naar haar toe en hij lachte.

Eveline keek hem verbaasd aan.

'Ik denk ineens: er is iets voorgevallen tussen de dames, een beschuldiging, geklets in de buurt, kwaadsprekerij. Dat werd voor mijn moeder zo bedreigend dat ze mijn vader heeft voorgesteld te verhuizen. We gingen naar de Spanjaarddreef. En weet jij waarom ik lachte? Uitgerekend met de dokter van die nare buurvrouw Welkers komt haar zoon enkele jaren later stralend van geluk hun huis binnen; vader, moeder, ik heb de juiste vrouw gevonden!!'

Eveline schudde grijnzend haar hoofd. 'Het is een zotte gedachte, maar er kan een kern van waarheid in zitten. Ik heb er ook aan gedacht dat er misschien iets uit de erfenis van Marit is ontvreemd. Misschien zaten je ouder in die tijd financieel krap. Marit kwam bij jullie wonen, er moest één en ander voor haar gekocht worden, een kamer werd ingericht en je ouders hadden de sleutel van het huis van haar ouders. Maar als het zo geweest is, is het toch geen grote zonde? |o'n grote zonde dat moeder Marije het nu, op haar sterfbed, moeilijk mee heeft? Nee, dat geloof ik niet. Je ouders hebben altijd vol liefde uitstekend voor Marit gezorgd. En er stond een prachtig bedrag op haar bankrekening toen ze met Joris trouwde. Maar, als alles doorgaat zoals je moeder het wil, zullen we het horen. Als jij nu de kinderen bij Nettie ophaalt, bel ik mijn moeder om haar te vertellen over deze middag. Vader is nog niet thuis. Ik zeg haar dat ze hem niets mag zeggen. Misschien zegt ze iets, ik overval haar tenslotte, waarvan ik denk: ze weet er inderdaad meer van...

'Goed. Ze hoeft niet direct te beslissen over "ja" of "nee"vertellen. Als je een afspraak maakt voor morgen heeft ze tijd erover te denken hoe dit aan te pakken.'

Jurrien liep de deur uit en Eveline draaide het bekende nummer.

'Mevrouw Welkers.'

'Mam, met mij. Jurrien en ik zijn vanmiddag bij moeder Marije geweest. Ze gaat snel achteruit.' Ze zweeg even, nu moest ze het zeggen en ze zei: 'Luister naar me, mam. Vanmiddag vertelde de zieke ons dat ze een groot deel van haar leven een geheim met zich heeft meegedragen. Het is ook het geheim van vader Anton. Zij hebben destijds afgesproken er nooit een woord over te zeggen. Ze wilden het elk voor zich meenemen in hun graf. Volgens moeder Marije is ook na wat gebeurde nooit meer een woord gesproken. Niet tussen hen, niet met anderen. Wat gebeurd was was gebeurd, het kon niet meer ongedaan gemaakt worden, erover zwijgen was het beste. Ik heb me even afgevraagd, Jurriens moeder is zo ziek, kunnen het hallucinaties zijn? Beelden uit haar herinnering die naar boven komen maar die ze niet meer in de juiste volgorde kan zetten... Maar toen ze praatte kreeg ik die indruk niet. Ze zei, mam, dat jij er ook van weet. Maar papa niet.' Eveline zweeg even, praatte dan verder: 'Moeder Marije wil dat jij, als zij is overleden, het geheim vertelt aan alle mensen die in haar leven om haar heen zijn geweest. Daar hoort papa ook bij.'

Het bleef minutenlang stil aan de andere kant van de lijn.

'Lieverd, ik herhaal wat je hebt gezegd. Marije heeft jou gevraagd aan mij te vragen of ik bereid ben te vertellen wat meerdere jaren geleden is gebeurd.'

'Ja, dat is het.'

Évelientje, ik zeg er op dit ogenblik niets over. Het overvalt me. Ik begrijp ook niet waarom Marije dit van mij vraagt. Het is moeilijk het een vrouw, die zo ernstig ziek is, te weigeren. Ik moet erover denken. Ik ben bang dat het openbaar maken van "Het geheim" meer narigheid brengt dan het verzwijgen ervan zal brengen. Ik denk er vanavond over. Maar ik weet dat dat denken weinig verandering zal brengen in mijn besluit, want ik kan Marije niet weigerente doen wat ze me gevraagd heeft.'

De volgende morgen, rond half elf, kwam Martha Welkers. Ze liep op haar dochter toe, sloeg haar armen om haar heen en drukte haar tegen zich aan.

'Ik ben erg geëmotioneerd, lieve schat, ik weet niet wat ik moet doen. Dit weigeren zal voor meerdere mensen beter zijn dan het vertellen. Maar ik zei het je gisteren al, ik heb geen keus. Mag je een stervende iets weigeren? Ookal weet je dat er waarschijnlijk narigheid en verdriet uit voort zal komen?'

Ze zaten tegenover elkaar. Eveline keek haar moeder recht aan. 'Ze wil voor ze sterft je antwoord weten. Doe je het of doe je het niet. Moeder Marije vraagt je het wel te doen.'

'Zeg haar dat ik het zal doen. Maar vraag nu niet verder. Als het zover is, als Marije gestorven is, weg uit dit leven, zal ik het geheim vertellen. Wanneer ga je naar haar toe om het antwoord te brengen?'

Vanmiddag. Als de kinderen bij jou kunnen zijn.'

Haar moeder knikte goedkeurend.

'Ik haal Tonnie uit school, Marthy vóórop de fiets en het manneke achterop en ik rijd naar de Borgerlaan. Dan ga ik naar de Spanjaarddreef. Tante Christina is er vrijwel elke dag. Vader Anton werkt halve dagen, soms de morgen, soms de middag; wat het beste uitkomt. Vanmiddag is hij waarschijnlijk niet thuis. Vader Anton kent het geheim. Hij is het er niet mee eens dat Marije wil dat het bekend zal worden, maar hij kan haar nu niet dwingen t zwijgen. Tante Christina en hij zorgen samen voor de zieke. In de ochtend komt een wijkverpleegster voor het wassen en de verzorging, er komt ook dikwijls iemand langs om te zien of alles goed gaat. Maar wat is goed-gaan in zo'n geval... Moeder Marije weet dat ik vanmiddag met de boodschap kom. Ze zal vragen ons alleen te laten.'

'Goed kind, laten we het zo maar doen. Jij komt met de kinderen en daarna ga je mijn antwoord brengen.' Martha Welkers schudde haar hoofd en huilde.

In de middag haalde Eveline Tonnie uit school. Hij holde juichend over het speelplein naar haar toe. 'Mammie, mammie, kijk wat ik gemaakt heb... Eerst getekend en toe geknipt en toen geplakt. Een molentje aan een stokje!!' Hij hield het molentje in de wind. Het draaide even in de rondte.

'We gaan naar oma. Ik moet een boodschap doen, jullie spelen bij haar.'

Tonnie vond het prima. Het was altijd leuk bij oma. Marthy was nog zo klein, die liet zich overal heenbrengen. En bij oma achterblijven was erg leuk.

Eveline fietste naar de Spanjaarddreef. Het was mooi weer, maar de wind was nog fris. Aan die omstandigheden dacht ze niet, haar gedachten waren bij haar zieke schoonmoeder.

Vader Anton zat in de kamer toen ze binnenstapte. Hij begroette haar met een knikje. Hij wist dat ze met een antwoord kwam.

'Is tante Christina boven?'

'Ja. Moeder zal haar zeggen dat ze met jou alleen wil zijn.'

Eveline liep de gang in en de trap op. Vanuit de ziekenkamer klonken zachte stemmen. Tante Christina had het bed verschoond. De vuile lakens lagen op de overloop.

Moeder Marije keek Eveline aan. Er lag een vreemde blik in de grote, bijna starende ogen. Van beneden riep vader Anton en tante Christina riep terug, met wat geduld in haar stem: 'Ja, ja, jongen, ik kom eraan. Ik neem meteen het wasgoed mee. Je hoeft me niet te roepen. Ik was toch al van plan naar beneden te gaan. Evelien is nu bij Marije.'

Bedrijvig pakte ze nog snel een leeg glas mee van het nachtkastje en liep naar de kamerdeur.

Eveline ging op de stoel dicht naast het bed zitten.

Marije Beekman had haar hoofd naar haar toegekeerd. 'Kind,' een zachte, beverige stem, 'wat heeft je moeder gezegd?'

'Ze zal doen wat u gevraagd hebt. Meer dan dit antwoord heeft ze niet gegeven. Het is dus "ja".'

'Dat is goed.'

Eveline knikte instemmend. Zou het goed zijn...

De zieke deed de ogen dicht.

Eveline bleef aan het bed zitten. Ze wilde vragen of de dokter nog geweest was, maar de dokter kon hier niets meer doen. Alleen met injecties de pijn verlichten.

Drie dagen later overleed Marije Beekman-de Lange.

Op de kaart, die familieleden en vrienden ontvingen en in de advertentie in de krant stond de naam van Anton, daarna Jurrien en Eveline met hun kinderen Anton Jan en Marthy, daaronder de namen van Marit en Joris.

Op een sombere donderdagmiddag werd Marije begraven. Daaraan ging een plechtige afscheidsdienst vooraf. In zijn voorbereiding daartoe had dominee Van Bergen gezocht naar woorden die troost konden geven aan de mensen die treurden om haar dood. Hij kende woorden van troost, natuurlijk, maar de dominee vroeg zich af of die troost deze middag de mensen zou bereiken. Maar als hij met zijn woorden kon bereiken dat zij ervan overtuigd waren dat haar ziel een plaats in de hemel had gekregen, verzachtte dat weten het verdriet.

8

EEN WEEK NA DE BEGRAFENIS ZATEN MARTHA EN JAN IN HUN WOON-kamer.
'Mijn gedachten komen niet los van Marije,'begon Jan te praten, 'het is niet zo dat we veel contact met haar en Anton hadden, maar we kwamen door het huwelijk van Evelien en Jurrien wel in hun familie terecht. We ontmoetten elkaar bij verjaardagen, we waren alle vier de grootouders van Tonnie en Marthy. Het wordt voor Anton een zware strijd alleen verder te gaan. Het was een goed stel, ze hadden het leuk samen. Ik vond Anton vaak wat aan de stille kant, hij vertelde niet zoveel. Hij liet dat in gezelschap aan anderen over. Hij luisterde en lachte mee als er iets bij te lachen viel; zo stil is Anton nou ook weer niet. Maar naast Marije was hij een man op de achter-grond.'
'Ja, Marije kon haar woordje wel doen. Er wacht een moeilijke tijd op Anton. Alleen in het stille huis, niemand die voor hem zorgt. Geen kopje koffie als hij het zelf niet zet, geen warme maaltijd op tafel. Marije was erg zorgzaam. Maar het belangrijkste is natuurlijk dat hij haar om zich heen mist, haar liefde voor hem, haar hulp als dat nodig was. De eerste weken blijft Christina nog bij hem, maar volgens Evelien verlangt zij na de vele maanden van ziekte en somberheid naar haar eigen huis. En dat kan ik me goed voorstellen. Jurrien mist zijn moeder heel erg. Er was altijd een goede harmonie tussen die twee. En dan Marit... Zij verloor destijds haar eigen ouders, maar ze had niet beter terecht kunnen komen dan bij wat toch haar oom en tante zijn. Ik zet koffie. Als ik ingeschonken heb moet ik je iets vertellen.'
Jan Welkers keek naar haar. Bij de laatste woorden was een klank in haar stem gekomen die hij niet kon thuisbrengen. Hij vermoedde dat er angst in was verborgen. Maar hij vroeg niets. Hij hoorde het pruttelen van het koffiezetapparaat, het neerzetten van de kopjes op

het dienblad. Wat ging ze hem vertellen? Mogelijk iets over het huis aan de Spanjaarddreef. Het was eigendom van Marije en Anton. Anton had hem verteld dat er destijds een flinke hypotheek voor opgenomen moest worden. Maar ze hadden in de loop der jaren een flinke som afgelost. "En," had Anton gezegd, "het restant laten we staan. Het is een mooie aftrekpost voor de belasting." Marije en hij waren in gemeenschap van goederen getrouwd. Anton had nu het huis in zijn bezit. Hij zou er blijven wonen. Over dit onderwerp kon Martha niets vertellen. Afwachten maar.

Martha kwam de kamer binnen. Ze zette het blad op de tafel, schoof Jan zijn kopje toe en plaatste haar kopje aan de andere kant van de tafel. Ze ging zitten.

'Marije heeft me via Eveline gevraagd aan haar kinderen en hun partners te vertellen wat er lang gelden heeft plaatsgevonden. Ze heeft er nooit over gepraat. Ze wilde erover blijven zwijgen, het geheim meenemen in haar graf, maar toen ze voelde dat haar einde naderde, wilde ze toch dat haar kinderen en allen daar omheen weten wat toen gebeurd is.'

Jan keek verbaasd. 'In haar leven is gebeurd... En jij weet daarvan?'

'Ja, ik weet daarvan. Maar ik zeg er nu niets over. Ik heb Marije beloofd erover te vertellen en dat zal ik ook doen. Het lijkt me het beste de kinderen hier te laten komen. Ik moet er een avond voor uitkiezen. Anton hoeft er niet bij te zijn. Anton weet ervan. Eigenlijk gaat het ook Hans en Erna niet aan, maar zij zijn onze kinderen, ze moeten het weten.

'Is het iets van een verkrachting geweest? Maar van wie en door wie?'

'Jan, je hoort me wel. Misschien kan het vertellen volgende week gebeuren. Het houdt me ontzettend bezig. Ik had haar vraag het liefst geweigerd. Ik kon het een doodzieke Marije niet weigeren. Met Evelien en Jurrien kan ik snel een avond afspreken. Zij weten er al iets van. Evelien zal hem over de vraag van zijn moeder hebben verteld. Ze kunnen de kinderen meenemen en hier in hun bedjes leggen. Ik moet Marit en Joris erover bellen. Marit is hevig overstuur. Volgens de berichten rolt ze van de ene huilbui in de andere. Ze wil elk moment naar de begraafplaats. Maar daar vindt ze geen troost, alleen verdriet. Joris zal haar helpen zoveel hij kan. Het is een lieve, gevoelige man, maar welke woorden kan hij als troost uitspreken? Dat zien er niet veel.'

De volgende middag draaide ze het nummer van Joris en Marit. Joris kwam aan de lijn.
'Joris, met mevrouw Welkers. Is Marit thuis?'
'Ja. Maar ik weet niet of ze in staat is u te woord te staan. Marit heeft het heel moeilijk met de dood van haar moeder.'
'Dat begrijpen wij allebei.'
Even later een huilende Marit. 'Mevrouw Welkers, met Marit.'
'Marit, liefke, ik zeg meteen waarom ik je bel. Je moeder heeft mij gevraagd of ik jullie, Joris en jou, maar ook Jurrien en Eveline, iets uit haar leven wil vertellen.'
'Ik begrijp u niet goed.' Weer snikken.
'Er heeft iets in het leven van je ouders plaatsgevonden waarover ze nooit met hun kinderen hebben gesproken. Ze wilden het als hun geheim meenemen bij hun sterven. Maar in de laatste dagen van het leven van je moeder zijn daar voor haar andere gedachten over gekomen.'
'O,' klonk het niet echt geïnteresseerd. Waarschijnlijk drong de waarheid van Martha's woorden niet tot Marit door, maar ze vroeg: 'Wat was dat dan?'
'Dat wil ik jullie volgende week vertellen.'
'Volgende week? Een vertelavond?' Opeens schoot de jonge stem uit. 'Het interesseert me helemaal niet wat er in het leven van mijn moeder is gebeurd! Het is niet belangrijk meer! Mama is dood! Misschien heeft ze gestolen of iemand vermoord, het kan me helemaal niets schelen! Ik wil het ook niet horen.' Er volgde heftig snikken. Martha hoorde iets vallen, waarschijnlijk de hoorn van de tele-

foon, even later de stem van Joris: 'Zegt u mij maar waarover het gaat, mevrouw Welkers.'

'Luister. Je schoonmoeder heeft via Eveline aan mij gevraagd of ik haar kinderen wil vertellen over iets wat in haar leven heeft plaatsgevonden. Ik vraag jullie om op een avond naar ons huis te komen. Volgende week.'

'Welke avond heeft u in gedachten?'

'Woensdagavond.'

'Dat is goed. Als Marit rustiger is zal ik het haar vertellen. Kunt u mij zeggen waarover het gaat? Dat praat voor mij gemakkelijker. Was het een heftige ruzie, een diefstal, een verkrachting misschien...'

; Ik kan er nu niets over zeggen.'

'U moet er niet té geheimzinnig over doen.'

'Nee, Joris, dat doe ik niet. Jullie moeten veel weten om het te kunnen begrijpen.'

'Zo, zo,' zei Joris en in die twee woordjes drong iets van spot door. Hij vond dat ze er te gewichtig over deed. Ze liet het zo.

'Ik reken op jullie. Woensdagavond, rond acht uur.'

Die woensdagavond begon Martha Welkers te praten. Ze had geprobeerd alles voor te bereiden. Ze had de hele geschiedenis meerdere malen in de stilte van de huiskamer en in de duisternis van de nacht in bed aan zichzelf verteld. Zo moest ze het doen. En niet te snel praten; het verhaal zou de luisteraars aangrijpen en verbazen.

'Mijn vader heet Johannes Lamers en mijn moeder was in haar meisjesjaren Eva Dientje van Dongen. Ze woonden allebei in het kleine dorp Wansum; jullie weten waar het ligt. Een kerk met een spits torentje, een molen, enkele boerderijen, woonhuizen en een winkel voor de dagelijkse benodigdheden. Ze kenden elkaar – iedereen kende iedereen in Wansum. Ze vonden elkaar aardig, kregen verkering en wilden met elkaar trouwen. Mijn vader werkte op de zuivelfabriek van Walken. Dat lag niet ver van ons dorp. Hooguit tien minuten fietsen. Vader maakte lange werkdagen; hij ontving een simpel loon. Toen Johannes en Eva wilden trouwen konden ze een huisje huren aan het Kerkepad. Daar ben ik geboren.

Naast ons woonde het gezin Blokker. Vader Blokker was een kleurloze man, een beetje een sufferd. Mijn vader maakte over hem eens de opmerking: "Hij brengt het kwaad niet in de wereld, maar hij ziet ook geen kans er enig goeds in te brengen." In zijn jonge jaren had hij steeds weer geprobeerd een meisje te veroveren, maar het was hem niet gelukt. Toen ontmoette hij Petronella de Geus. Een flinke jonge meid die graag wilde trouwen, maar er was geen jongen in de hele omgeving die met haar naar het stadhuis woonde. Jochem Blokker wilde dat wel. Hij wilde weg uit het ouderlijk huis, weg van zijn moeder die hem een nietsnut vond en een vader die meer dan eens dronken thuiskwam en dan niet direct een gezellige kerel over de vloer genoemd kon worden. Een vrouw die voor hem zou zorgen en bij hem in het bed wilde slapen trok hem aan. Hij werkte bij de molenaar van het dorp. Hij sjouwde met zware zakken de smalle trap op en hij vond in de molenaar geen prettige werkgever. Maar er weggaan was onmogelijk, want waar vond hij een andere broodwinning? En in die tijd wist men niet van WW-uitkeringen...

Bij de Blokkers werden twee kinderen geboren, twee meisjes. Johanna was de oudste. De jongste heette Betty. Betty was mijn vriendinnetje. Ze was ruim een jaar jonger dan ik.. Ondanks de armoede en het weinige speelgoed dat we hadden waren we blij en vrolijk. Alle bewoners van het Kerkepad, ik schat dat er elf, twaalf gezinnen woonden, zaten in hetzelfde schuitje. In elk huis was armoede troef. Maar Betty en ik hadden allebei een ruime fantasie; we bedachten prachtige verhalen en speelden in onze kindertijd heerlijk.

Toen we veertien, vijftien waren kwam een nieuw gezin aan het Kerkepad wonen. De familie Jongejeugd vertrok, de familie Reinders kwam in dat huis. Er was een dochter, Marie Reinders. Marie was vier jaar ouder dan wij, maar we konden goed met z'n drietjes opschieten en we gingen vak op pad. Een stukje fietsen, lopen naar de kom an het dorp waar soms iets te doen was.

Na de lagere school mocht ik drie jaar naar de Mulo. Ik zeg met nadruk "mocht", want die school was voor een dochter van een arbeider eigenlijk niet weggelegd. Maar mijn ouders zagen het nut in van meer leren dan alleen wat ik op de lagere schol had opgestoken. Betty ging naar de huishoudschool in Bordenaar en Marie werkte in de dorpswinkel. Na de Mulo kreeg ik een baantje bij Grashuis en Napels. Betty werkte toen in de huishouding bij de familie Van Berkel. Meneer en mevrouw Van Berkel hadden drie modezaken in Amsterdam, maar hij en zij wilden niet in de grote stad wonen. Ze kochten de vroegere pastorie van de kerk; een dominee was er niet meer in Wansum. De pastorie werd grondig verbouwd, er kwam een prachtig huis voor in de plaats. In dat huis werkte Betty. Mevrouw Van Berkel was een aardige vrouw en Betty had het er naar haar zin. Het was wel hard werken, natuurlijk, dat ging in die tijd zo, maar Betty werd goed behandeld. Ze had in het huis een eigen kamertje, achter de keuken. Ze was graag in de prachtige keuken. Marie bleef werken bij Kees Ursem in zijn dorpswinkel.

Meneer en mevrouw Van Berkel hadden een zoon.'Martha zweeg even en keek naar de gezichten om haar heen. De kinderen luisterden wel, maar niet met echte belangstelling. Tot nu toe hield het onderwerp ook alleen simpele gegevens in.

'Nu denken jullie: weer zo'n verhaal over een boerenzoon die zich vergrijpt aan de dienstmeid, goed, in dit geval is het de zoon van een modewinkelier en een dienstmeisje, het verhaal blijft hetzelfde. Zo is het naar buiten ook, dat geef ik toe, maar toch is het anders. Door de gevoelens van die twee. Ik vertel verder. De zoon heette Boudewijn. Betty en ik giechelden toen we die naam voor het eerst hoorden. Wij waren gewend aan jongensnamen als Gerrit, Klaas en Teun. Boudewijn vonden we een geweldige naam, ook een mooie naam. We spraken de naam vaak langzaam uit... Boudewijn... Ik weet het niet zeker maar ik meen me te herinneren dat Betty heeft verteld dat hij drie jaar ouder was dan zij.

Boudewijn studeerde in Amsterdam. Dat was niet gewoon leren, dat was studeren. Hij woonde daar op kamers, maar hij kwam regelmatig een weekendje naar huis. Als hij vroeg in de vrijdagmiddag arriveerde zag hij Betty bezig in de keuken. Ook de volgende dag, de zaterdag, poetste ze in het huis. Op zondag had Betty een vrije dag. Betty was een leuk meisje, van houding en doen en laten en ze zag er ook leuk uit. Ze had dik, blond haar, grote lichtblauwe ogen en een goed figuur. En Betty was bijna altijd vrolijk. Ze was blij met het leven, ze had er plezier in.

Boudewijn vond haar aardig. Hij kwam naar de keuken als ze bezig was met de maaltijd voor die avond. Hij keek toe hoe ze soep maakte, aardappeltjes bakte en noem maar op. Ze praatten en lachten met elkaar. Ze wisten allebei dat dit eigenlijk niet kon, arm en rijk ging niet samen, maar zolang de ouders van Boudewijn niets in de gaten hadden, hadden zij een leuke tijd. Af en toe stoeien, Boudewijn lokte dat uit, hij wilde haar graag aanraken. Als ze naar een kast liep om er iets uit te pakken versperde hij haar de weg en moest ze vechten om hem te kunnen passeren. Dat ging met lachen en dollen. Het groeide tussen hen van "elkaar aardig vinden", naar, heel voorzichtig "iets meer". Ze wisten dat het niet mocht. Maar Boudewijn was een grote, vlotte jongen en Betty een leuk meisje.

Boudewijn zocht in de late vrijdagavond of de zaterdagavond, of allebei de avonden, het kamertje van Betty op. Ze zei dat ze hem wilde kussen en hij mocht haar kussen, natuurlijk, maar verder dan kussen mocht het niet gaan. Moeder Blokker, ik vertelde het al, geen vrouw om zonder stevige handschoenen aan te pakken, vertelde genoeg verhalen over wat zij "gegrepen jonge meiden" noemde, domme meiden, die in de armen van rijke jongens terecht kwamen en op een dag moesten ervaren dat de liefde, waarover de knapen met zoveel gevoel hadden gesproken, alleen bij de verleidingstactiek van de mannetjesdieren hoorde.

Mevrouw Van Berkel kreeg argwaan. De knipoogjes van haar zoon naar "het meisje" ontgingen haar niet, ze wist van zijn bezoekjes in de keuken om met Betty te praten. "Ze vindt het leuk als ik langskom, die potten en pannen zeggen niet veel." Mevrouw Van Berkel besloot een vrijdagavond niet te gaan slapen, maar naar de geluiden in het huis te luisteren. En ja hoor, het was al laat toen ze een deur open hoorde gaan, het even piepen van de scharnieren; het was de deur van Boudewijns kamer. Het kraken van de trap. Ja jongen, dat zijn de treden zeven en acht, geluiden beneden in het huis. Na een half uur sloop ze de trap af en liep snel naar het kamertje van Betty. Ze stond voor de deur, trok hem in één ruk open en ze zag Boudewijn in het bed naast een half blote Betty. Ze werd niet boos, ze beval de twee naar de keuken te komen. Betty vertelde mij later dat Boudewijn en zij geweldig geschrokken waren van moeders binnenkomst, maar dat het hen verbaasde dat ze niet vreselijk boos werd.

Aan de keukentafel zei mevrouw Van Berkel dat ze begreep dat Boudewijn "oog" had voor Betty. Ze was een mooie, jonge vrouw. En dat Betty haar zoon aardig en knap vond, kon Tine van Berkel goed begrijpen. Maar, had ze op een rustig toontje gezegd, jullie weten zelf ook dat er tussen jullie voor de toekomst niets kan groeien. De niveaus pasten niet bij elkaar, de afkomsten ook niet. Dus, na deze avond moest het voorbij zijn. Betty kon niet als hulp in de huishouding in het huis van de familie blijven. Maar mevrouw Van Berkel was ervan overtuigd dat ze snel een nieuwe werkkring zou vinden. Mevrouw Van Berkel had gezegd: "Ik zeg niet dat jij Boudewijn verleid hebt, ik zeg ook niet dat mijn zoon dit heeft uitgelokt. Ik ken de mannen, ik ken Boudewijns vader. Maar het feit blijft dat het onmiddellijk gestopt moet worden."

Betty kreeg vier weeklonen – dat was veel voor die tijd – en vertrok uit de prachtige villa van de Van Berkels.

Ze fietste naar huis. Het geld in haar portemonneetje in haar tasje.

Enkele jaren daarvoor was na een korte ziekte haar vader overleden. Of haar moeder verdrietig was over zijn dood heeft Betty nooit geweten. Zijn naam werd vrijwel niet meer genoemd. Betty miste haar vader niet.

U ze thuiskwam om te vertellen dat ze ontslagen was omdat tussen Boudewijn en haar een vriendschap groeide die meneer en mevrouw Van Berkel niet goed vonden, stond ze tegenover haar moeder die direct na haar eerste woorden met luide stem over wat haar dochter wilde vertellen, heen walste.

"Dat zeg jij omdat je bang bent dat ik naar die vrouw zal gaan om haar over haar lieve zoontje te vertellen, maar je hoeft mij niets wijs te maken! Ik ken deze verhalen!! Die kakmadam gaat er vanuit dat jij die knaap gek hebt gemaakt, het is jouw schuld en daarom moet je zo snel mogelijk verdwijnen."

Er speelde zich die zaterdagmorgen een volledig drama af in het huis van moeder en dochter Blokker. Moeder Nel had haar woede geuit en nadat ze wat bedaard was zei ze dat Betty zo snel mogelijk op zoek moest gaan naar "een dienstje", zoals moeder Blokker dat noemde. Dat snapte Betty ook wel, maar zo'n baan vinden viel in het kleine dorp niet mee. Misschien in Bordenaar.

Betty was heel verdrietig. Ze vertelde dat ze ervan overtuigd was dat er iets groeide tussen Boudewijn en haar. Ik heb me afgevraagd of dat echt zo is geweest. En los daarvan had Betty moeten weten dat er tussen hen nooit een huwelijk zou plaatsvinden.

Na enkele weken wist Betty dat ze zwanger was. Ik was de eerste die ze erover vertelde. In mijn kamertje, onder het puntdak van ons huis. Ze huilde die avond verschrikkelijk. Ze probeerde het zo stil mogelijk te doen. Ik drong daar ook op aan, stel je voor dat mijn vader boven kwam om te zien wat er aan de hand was; dat wilden we allebei niet. Ze was wanhopig, ze wist niet wat er moest gebeuren. Ze wilde geen kind, ze zou er door het hele dorp op aan gekeken worden en welke jongen keek nog naar haar? Ja, wel kijken, maar alleen met minachting, een ongehuwde moeder!!

Ik praatte tegen haar, zei dat ze "nog even moest wachten" erover te vertellen. Ik vroeg of ze het Boudewijn niet kon meedelen en noem

maar op... Maar Betty huilde alleen en zei niets.'
Martha Welkers zweeg, nam een slokje van de koffie die voor haar
stond en ging toen verder: 'Even naar de derde vriendin, Marie
Reinders. Ik vertelde al dat zij vier jaar ouder was dan Betty en ik.
Ongeveer vier, misschien waren het vijf maanden voor de geschiedenis met Betty tot een uitbarsting kwam, vertelde Marie ons over
haar vriendschap met Anton Beekman. De gesprekken vonden
plaats in de huiskamer van de Blokkers. Moeder Nel; was er dikwijls
bij aanwezig; we konden haar niet de straat op sturen om voor ons
drietjes een rustig praathoekje te organiseren. En als moeder Nel
zich niet ergens over opwond of boos maakte was het een aardige
vrouw.
Ik vind het nodig jullie iets over hun huiskamer te vertellen. Om
goed de sfeer te begrijpen. De kamer was niet groot, maar er stond
wel een hoge, brede kast in. In die kast werd het serviesgoed bewaard. Voor het raam geschoven stond een tafel waarover een plu-
chen kleed lag. Een mooi kleed, in donkere kleuren rood en blauw.
Ik kan dat kleed zo voor me zien... Drie stoelen er omheen. De vier-
de stoel stond tegen de wand. De theepot onder een door moeder
Nel gemaakte theemuts op de tafel. Na de thee dronken we water
of, bij grote uitzondering want het was te duur, vruchtensap. Daar
zaten we met z'n vieren. Moeder Nel Blokker, Marie, Betty en ik.
Johanna had intussen vekering met Jaap Houtman. Zij was dikwijls
bij zijn familie.
Op de avond waarover ik zopas iets zei, drie of vier maanden voor
Betty wis wat er aan de hand was, vertelde Marie ons dat ze veel van
Anton hield en dat hij van haar hield, maar dat hij kort voor die
avond had gezegd: "Marie, we moeten over onze toekomst praten.
We zijn al een poos met elkaar, we zijn gek op elkaar, maar er is iets
wat ik je moet vertellen voor we hiermee verder gaan." Marie had
hem verbaasd aangekeken, wat betekende dit? Maar ze bleef naar
hem luisteren. Toen vertelde hij dat hij als jongen van veertien jaar
ziek was geweest en dat de ziekte verband hield met zijn zaadballen.

De huisarts had toen aan zijn moeder verteld dat het later voor de jongen heel nare gevolgen kon hebben. Als hij een meisje tegenkwam waarmee hij zou willen trouwen, moest zij, zijn moeder, vertellen dat hij waarschijnlijk geen nageslacht zou kunnen verwekken. De dokter had het met die woorden gezegd. Moeder Beekman zei tegen haar zoon dat er in zijn huwelijk geen kindje geboren kon worden. Vader en moeder Beekman hadden nooit met familie of kennissen gepraat over wat aan verdriet op hun zoon Anton wachtte. Dit was zo intiem, dit ging niemand dan hun jongen en hen aan. Zijn moeder had het vertellen lang uitgesteld, ze was bang dat hij door deze wetenschap geen meisje zou aankijken, maar toen de liefde tussen hem en Marie groeide en moeder Beekman het gevoel had dat het een echte liefde was, kon ze het vertellen niet langer uitstellen. Anton hoorde haar aan en zij wist dat hij hierover met Marie moest praten.

Marie vertelde het ons met veel tranen, want het was vreselijk te weten dat hun huwelijk kinderloos zou blijven. We hadden alle drie medelijden met haar. We probeerden te troosten. Moeder Blokker, ik zei het al, een kordate vrouw, legde op tafel dat Marie, als ze een gezin wilde, het uit moest maken met Anton en een andere jongeman moest zoeken. Wij, nog jonge meiden, begrepen heel goed dat Marie Anton niet wilde loslaten.

Na het verhaal van zijn moeder was Anton naar de huisarts gegaan die destijds zijn ziekte had behandeld. De dokter had een onderzoek verricht en moest helaas zeggen dat het inderdaad niet mogelijk zou zijn dat Anton ooit vader werd. Het werd een drama tussen hen. Anton wilde de verkering verbreken, een kinderloos huwelijk was voor Marie onaanvaardbaar, maar Marie hield van hem en wilde hem niet loslaten.

Vier maanden later vertelde Betty haar moeder over haar zwangerschap. Het onderwerp kwam de volgende zaterdagavond op tafel. Moeder Nel nam als eerste het woord. Wij hadden niet anders verwacht en luisterden. Ik herinner me die avond alsof het gisteravond heeft plaatsgevonden. Moeder Blokker zei luid en duidelijk dat zij er niet over "prakkiseerde" Betty met een kind in huis te nemen! Ze had lange, moeilijke jaren achter de rug met Jochem. Van hem had ze nooit steun gehad, er was ook geen liefde geweest van hem voor haar. Hij wilde alleen goed verzorgd worden, in de avond rustig zitten en wat soezen in de stoel, maar als ze daarna naar bed gingen was Jochem klaar wakker... Ze draaide altijd overal alleen voor op. Ze was niet van plan zich vast te zetten met een klein kind over de vloer. Bovendien wilde Betty het kind niet houden. Ze was veel te jong, zeventien jaar, wat moest ze met een kind en weer kwam het verhaal dat ze door het hele dorp met de nek zou worden aangekeken en dat er geen fatsoenlijke jongen was die met haar wilde omgaan... Of dat allemaal echt zo was weet ik niet. Ik geloof het ook niet. Het dorp was toch wel tolerant. Maar een jongen die met een meisje met een kind wilde trouwen, ja, dat zou waarschijnlijk niet de jongen zijn die Betty graag wilde.

Het eerste wat als oplossing werd aangedragen was een adoptie. Maar moeder Nel ging daar driftig tegen in. Als Betty het kind wilde laten adopteren kwam een hele toestand op gang, waarbij "de raad van de kinderbescherming" werd ingeschakeld, die lui bemoeiden zich overal mee. Dan kwam ook een bureau op de proppen dat een lijst had van mensen die graag een pasgeboren kindje wilden aannemen, het hele dorp zou het weten en op het gemeentekantoortje moest het kind worden aangegeven en werd op Betty's naam ingeschreven. Moeder: Betty Blokker... Vader: onbekend! Dan wist iedereen dat Betty een kind had en werd ze er toch op aan gekeken! En veel mensen vonden het weggeven van een kind een slechte daad; als je met vuur had gespeeld moest je de verantwoording nemen. Betty werd de dupe. Die naarling van Van Berkel liep vrij en vrolijk rond, die had de volgende blom alweer te pakken!'

Martha Welkers zweeg. Ze keek naar de gezichten om zich heen. Niemand vroeg iets of maakte een opmerking. Wachten op het verdere verhaal. Ze reikte naar een koffiekan. Marit zag de beweging en stond op om de kopjes vol te gieten. Ze keek naar het gezicht achter een kopje, na een knikkende beweging schonk ze de koffie in. Maar er waren geen andere woorden in de kamer dan die Martha had uitgesproken. Er hing een sfeer van angst, van verwachting, wat ging komen...

'Marie sprak het woord "vondeling" uit. Als moeder en dochter Blokker het kind niet op naam van Betty wilden hebben was het kind te vondeling leggen een mogelijkheid. Dan bleef de moeder anoniem. Ik merkte daarop op dat ik had gehoord dat bij het klooster van de liefdeszusters, even buiten Borgenaar, nu en dan een baby te vondeling werd gelegd. Zo'n kindje bleef korte tijd op de ziekenzaal en vond dan nieuwe ouders...

Opeens zei moeder Nel, ze keek ons alle drie aan met een scherpe blik in haar ogen: "Er is een goede oplossing. Jullie weten onderhand dat ik niet wil dat in het dorp bekend wordt dat Betty, mijn Betty," ze herhaalde de woorden als een korte inleiding, "een kind zonder vader heeft. Daarom willen we geen adoptie. Maar er is nog een mogelijkheid. Het gaat tegen de wet in, maar wat hebben wij armen mensen aan de wet? Wat doet men in Den Haag voor ons? Wij moeten hard werken om het hoofd boven water te houden. En wat gebeurt er aan vreselijke dingen in het leven? Bloedige oorlogen, leiders van landen die hun jonge kerels oproepen in het leger te gaan en ze de dood in te sturen!! Denk aan de laatste oorlog! Maar nu, na de oorlog, handelen Duitsland en de vijanden van toen weer met elkaar. Mensen vieren er hun vakantie. Duitsland, een prachtig land! Duitsers komen naar de kust om te zien hoe ze naar Engeland hadden willen oversteken... Alles weer koek en ei. Maar de naaste familie treurt nog om de dode soldaten en burgers.

Ik vertel wat in mijn hoofd tot een plannetje is gegroeid. Marie en Anton gaan over twee maanden trouwen. Wij weten dat ze graag een kindje willen, maar dat daarover geen woord wordt gezegd omdat er nooit een kind in hun huis geboren zal worden. Marie zal nooit een eigen baby in haar armen wiegen. Maar als Marie en

Anton het kindje van Betty in huis nemen..."

Betty en ik eken haar met ogen zo groot als schoteltjes van verbazing aan. Marie zat met open mond van verbijstering op haar stoel. Maar in onze gedachten was iets van: het kan... We gingen aan wetten en voorschriften voorbij. Wat hier, in die schemerig verlichte kamer werd besproken, was onbekend voor de wereld buiten het huis. Niemand wist van onze woorden.

Moeder Blokker boog zich over de tafel. Dat beeld heeft me nooit losgelaten. Haar zware borsten, het wat brede, grove gezicht, de grijze ogen: "Als Anton en Marie dit willen, kan het gebeuren. Betty draagt de komende maanden wijde truien en schorten om de zwangerschap te verbergen. Ze kan de zwangerschap verdoezelen. Als het moet hoeft ze, als het zichtbaar wordt, de straat niet op. En Marie kan wijde truien en bloesjes dragen om te laten zien dat ze zwanger is."

Martha zweeg weer en keek opnieuw de kring rond. Gezichten waarop vragen te lezen stonden. En niet alleen vragen, ook antwoorden; de waarheid die langzaamaan tot hen doordrong.

Jurrien zat met een bleek, strak gezicht verbijsterd voor zich uit te staren. Marit hing tegen de rugleuning van de bank, dicht tegen Joris aan, in haar ogen zag Martha onbegrip, nog meer ongeloof.

Martha praatte verder, geleid door de ingeving dat het goed was ieder even stil met de eigen gedachten bezig te laten zijn. Ze zei: 'Anton en Marie hebben erover gedacht. In het eerste denken kwam het weten "dit kan niet en dit mag niet, dit is bij de wet verboden", maar wie zal het weten als wij het niemand vertellen? Hun verlangen naar een kind was groter dan de angst. En als dit kindje te vondeling werd gelegd bij het klooster, waar kwam het dan terecht? Dan liever bij hen...

Moeder Nel praatte die avond met een harde, schrille stem. Zij was heftig geëmotioneerd. Maar het kind zou goed terecht komen. Betty's kind, haar kleinkind. Ze wilde er niet zelf voor zorgen en Betty kon er niet voor zorgen. Ze wilden een goed thuis voor de baby. En dat zou haar zoontje of dochtertje bij Anton en Marie krijgen.

Moeder Blokker praatte: "Ik heb genoeg narigheid in mijn leven gehad. Een jeugd in armoede en weinig aandacht van mijn ouders. Daarna liep ik in de armen van Jochem Blokker, een slome, maa niet zo sloom om me in zijn greep te houden. Voor ik het wist maakte hij me zwanger. Maar ik was wel blij met Johanna. En vier jaren later met Betty. Enige jaren geleden kwam de ziekte van Jochem en zijn sterven, hoeveel werk heb ik daaraan gehad... Hoeveel verdriet ook, want hij was toch mijn man, de vader van mijn kinderen. Ik wil nu aan mezelf denken. Anders is mijn leven voorbijgegaan met ploeteren en sabbelen, geen blijheid, alleen ruzies en armoede. Ik wil nog een paar mooie jaren meemaken voor ik afscheid van het leven neem." Na die woorden keek ze naar Marie. "Anton en jij willen graag een kind. Wij bergen dit geheim op binnen ons kringetje, wij viertjes. We beloven elkaar er nooit een woord tegen wie danook over te zeggen. Het is een verbond tussen ons. Anton is in ons verbond. Hij zal vader worden, een kind dat heel kort na de geboorte in het huis van Marie en hem zal wonen.'"

Na een korte stile en een lichte zucht, gelukkig, het was voorbij, ze had het gezegd, zei Martha: 'Zo is het ook gebeurd. Anton en Marie brachten zijn ouders op de hoogte van wat te gebeuren stond. Dat kon niet anders, zij wisten van Antons onvruchtbaarheid. Maar ook zij hebben altijd gezwegen. Dit geheim was, buiten het emotionele vlak, te gevaarlijk om over te praten. Marie droeg wijde truien, Anton en zij richtten een babykamer in.

Moeder Nel had onze huisarts, die intussen zijn praktijk verkocht had aan dokter Woudenbergh, gevraagd te helpen bij de bevalling. Ze vertelde hem niets en hij vroeg niets. Wat hij heeft gedacht bewaarde hij achter zijn ambtsgeheim.

Op een late avond werd de baby geboren. Een jongetje.' Martha glimlachte even. Ja, een jongetje, dat hadden ze intussen allemaal begrepen. 'Nadat de dokter was vertrokken kwamen Anton en

Marie naar het huis aan het Kerkepad. Zij bleven daar die nacht. En in de vroege morgen, toen alles goed was met de baby, hebben zij hem in het donker meegenomen naar hun huis...

Martha zweeg. De klank van haar stem stierf langzaam weg in het vertrek. Er viel een stilte die geladen was met ongeloof en emotie. Ze voelde de gedachten van de mensen om zich heen naar zich toestromen; zij had dit door haar woorden teweeg gebracht, zij had gezegd wat gezegd moest worden. De wil van een vrouw, de moeder van Marit en Jurrien, die de belofte van zoveel jaren geleden wilde verbreken. De belofte van destijds. Ze hadden er vanavond voor het eerst over gehoord. Moeder Martha vertelde erover. Hoe vier vrouwen met de handen op elkaars handen beloofden te zwijgen, hun verdere leven geen woord te zeggen over wat die avond in een schemerig verlichte kamer was besproken. Ze wisten alle vier dat dit besluit een goed besluit was. Er was in de omstandigheden geen andere mogelijkheid en voor ieder die erbij betrokken was hield het de beste oplossing in.

Marie, Marije had de stilte verbroken. Door haar vraag aan Eveline. Ookal had Eveline geweigerd iets over haar woorden tegen haar moeder te zeggen, dan toch was het verbond gebroken. Want Eveline dacht erover na en praatte erover met Jurrien.

Marije was dood. Was dit geheim te zwaar voor haar geweest om mee te nemen naar de eeuwigheid? Naar de hemel? Verwachtte ze dat God, die alles wist, het haar zou voorleggen? Een God van Liefde, van vergeven, van weten dat alles goed was opgelost?

Martha zat nog rechtop in de stoel. Ze had hoofdpijn. Een zware, bonkende hoofdpijn. Ze wilde dat ze allemaal weggingen, ook de kleine kinderen, die boven in hun bedjes lagen te slapen. Als iedereen weg was trok ze haar pyjama aan, een duster ter overheen en ging ze op de bak zitten en zachtjes huilen om wat gebeurd was. En hopen op woorden van troost van Jan. Maar kon hij haar die woorden wel geven? Voor Jan was de bekentenis ook volkomen nieuw. Hij had haar praten met groeiende verbazing gevolgd.

En Jurrien, haar schoonzoon? Het meest was Jurrien getroffen. Ze keek naar hem. Hij zat ver voorovergebogen in een diepe stoel. Ze kende zijn gedachten en gevoelens niet. Wat moest hij op dit moment denken en voelen... Jurrien bleef in dezelfde houding zitten. De rug gebogen, het hoofd naar beneden. Hij wist niet wat hiermee te doen. Zijn vader Anton en zijn moeder Marije waren zijn ouders niet. Hij had zijn kind, zijn zoon naar deze man vernoemd. "Eveline en ik houden van tradities, Anton, Jurrien, Anton..." Hij wist nog hoe blij hij die woorden had gezegd en zijn vader was zo gelukkig geweest. "Jongen toch, wat vind ik dit fijn, wat heerlijk!! Een kleine Anton Beekman in de wieg..." Hoe kon hij het zeggen! Hij wist toch hoe het destijds was gegaan? Of was hij door de jaren die achter hem lagen zo vertrouwd met het denkbeeld dat hij de vader van hem was... Het gebeuren van toen gleed als een zwarte gebeurtenis door de dagen, niet over praten, niet veel van weten; de vier vrouwen die erbij betrokken waren wisten dat dit het beste was en voor hem telde alleen het kind... Marie verlangde zo naar een baby en hij kon het haar niet geven. Hij voelde het als een tekortkoming in zichzelf, hoewel zijn verstand zei dat het dat niet was, maar toch... En toen deze kans. Het zou goed gaan met de baby. Hij zorgde er als een vader voor en Marie als een moeder. Mogelijk beter dan een gemiddeld ouderpaar, omdat zij zo naar een kind verlangden, maar niet op een wonder durfden hopen... Er werd nooit, in alle voorbije jaren niet, één woord tussen Marie en hem over gewisseld. Het was voorbij, niet over denken, niet over praten; dat was het parool. En er werd niet over gepraat tot de dag kwam waarop het zwijgen voor Marije te veel werd. Zo zouden de gedachten van zijn vader zijn, de man die nu alleen in de kamer in het huis aan de Spanjaarddreef zat en wist wat deze avond werd verteld. Het grote geheim.

Jurrien probeerde overeind te komen. Hoe moest het verder gaan tussen zijn vader en hem? Hoe stonden ze vanaf nu tegenover elkaar? Geen vader en zoon, of toch wel? Ja, toch wel. Anton Beekman was een fijne, goede vader. En dat bleef hij. Als alles tot rust was gekomen en een plaats had gevonden werd het ook in zijn hart rustiger. Maar dat zou nog lang duren.

En hoe moest hij met alles wat deze avond over hem heen was gekomen omgaan? Marije was zijn echte moeder niet. Maar ze was wel zijn mama uit zijn kinderjaren. Ze hield van hem, ze troostte hem in kleine verdrietjes. Hij, dicht tegen haar aan, op haar schoot, haar arm om hem heen. Hij kende het gevoel van veiligheid nog. En geborgenheid. Vader en moeder waren er altijd voor hem geweest. Hij had een fijne jeugd en later, toen hij ouder werd, echte een jongen, waren er fijne gesprekken. Waarschuwingen voor de grote gevaren van het leven waarvan hij nog geen weet had; maar zijn ouders vertelden hem erover. En later, op het liefdespad... De middag waarop hij vertelde dat hij Eveline Welkers had ontmoet. Hij had het juichend gezegd. Hij kwam de kamer binnen, moeder stond bij de boekenkast. "Mam, ik heb Eveline Welkers gezien!!" Hij wist nog de reactie van zijn moeder toen hij zei: "Je weet het toch nog wel? Mijn vriendje Hans uit de Borgerlaan! Eveline is zijn zus!!" Het had juichend geklonken. Over het gezicht van zijn moeder was angst getrokken en hij had verwonderd gevraagd: "Vind je het niet leuk? Het is toch een goed gezin en Eveline is aardig."

Zijn moeder had zich snel hersteld. "Ja, jongen, natuurlijk vind ik het goed. Maar het is toch toevallig; waarom juist Eveline Welkers..." Hij keek nu naar Eveliens moeder. Ze zat stil, de handen in elkaar op haar schoot. Ze had de geschiedenis verteld zoals ze beloofde. De ware geschiedenis over Nel Blokker; waar zou Nel Blokker nu zijn? En Betty Blokker... Het was moeilijk te denken dat zij zijn moeder was, maar het was wel zo... En zijn vader, Boudewijn van Berkel. Nieuwe namen die opeens zijn leven binnenkwamen. Onbekende namen. Maar belangrijke namen...

Hij voelde dat Eveline naar hem keek. Hij tilde zijn hoofd op. Hun ogen ontmoetten elkaar. Hij zag schrik, bijna ontzetting in haar ogen. Hij knikte naar haar, maar hij wist niet wat dat knikje betekende. Hij glimlachte naar haar. Dat lachje zei: ik weet niet hoe hierover te denken, maar dat denken kom wel... Praten ook; als jij en ik samen zijn...

De onwerkelijkheid van deze avond voorbij...

Marit hing nog op de bank tegen Joris aan. Hij had zijn arm om haar heengeslagen. In haar hoofd bomden de woorden: dus toch... dus toch... Wat zij voelde voor Jurrien was niet het gevoel voor een broer geweest. Het was anders. En zij had het geweten. Was er voor een klein meisje een verschil tussen liefde voor een broer en liefde voor een vreemde jongen? Had dat met erotiek te maken? Bracht de natuur het in de gevoelens? Ze wist niet hoe de gevoelens van een meisje voor een broer konden zijn. Ze maakte haar hoofd even los van de schouder van Joris en keek in de richting van Eveline. En juist op dat moment keek Eveline naar haar. Of had Eveline al eerder naar haar gekeken? Eveline wist meer.

Hans en Erna hadden het praten van moeder Martha met stijgende verbazing gevolgd. Het was voor Hans ongelooflijk dat zijn moeder dit verhaal zoveel jaren stilletjes in haar hart had bewaard en er nimmer een woord over had gezegd. En als Marije Beekman haar niet had gevraagd te praten, praatte ze niet. Mogelijk had Jurrien nooit de waarheid gehoord. Dat was niet goed. Deze avond was verschrikkelijk, zoveel emoties en vragen en zoveel nog onbegrepen gedachten, maar het was beter zo. Voor Jurrien. Hij moest de waarheid kennen.

Erna stond op. 'Zal ik een grote kan water halen?', vroeg ze. Haar stem klonk in de stilte helder op. Hoofden keerden zich naar haar, ze zag verbazing, het was het verbreken van de spanning, er was ook opluchting.

'Ik pas ook glazen uit de kast. Wie iets anders wil drinken moet het zeggen. Misschien wijn of vruchtensap. Als het tenminste in de kelder of in de koelkast staat...'

'Ik wil graag naar huis.' Jurrien stond licht kreunend op uit de stoel, hij keek naar Eveline. Ze knikte. 'Ik weet niet wat ik na alles wat gezegd is moet zeggen en nog minder hoe ik erover moet denken. Ik neem het mijn ouders niet kwalijk dat ze dit destijds hebben gedaan. Ik ben ervan overtuigd dat ze naar een kind verlangden. Ze hielden allebei veel van kinderen. Ze wisten dat mijn vader nooit een kind zou kunnen verwekken. Ze zijn beiden lief en goed voor me geweest. Fantastische ouders. Wie weet waar ik anders terecht was gekomen... Waarschijnlijk in een kindertehuis tot een echtpaar kwam kijken naar een aardig jongetje en mij meenam.

De hele geschiedenis heeft diepe indruk op me gemaakt. Dat begrijpen jullie. Ik ben diep geraakt. Ik wil hier weg, ik wil naar ons huis. Ik zie jullie,' hij keek van Martha naar schoonvader Jan, 'gauw weer om erover te praten.'

Hij keerde zich naar Eveline. 'Als jij op de achterbank gaat zitten haal ik één voor één de kinderen uit hun bedje en leg ze bij jou.' Met een lachje voegde hij eraan toe: 'Dat hebben we vaker gedaan.'

Toen de kinderen in de auto waren gelegd, Tonnies blonde kopje op haar linkerbovenbeen, het kleine hoofdje van Marthy op haar rechterbeen, reed Jurrien, na met emotionele omhelzingen afscheid te hebben genomen van allemaal, de Borgerlaan uit. Tijdens de rit spraken ze geen woord. Niet om de kinderen wakker te maken, niet om het weten wat te zeggen. Toen de wagen voor het huis stond pakte Jurrien eerst zijn slapende zoon op, droeg hem het huis in en legde hem in zijn bedje. Daarna zijn dochtertje. Eveline sloot de auto af en liep de gang in.

'Wat een avond!', riep Jurrien opeens luid in de woonkamer. Hij keek om zich heen, alles was hier nog zoals ze vertrokken. De meubelen, de lampen, de boeken met verhalen in de kast en toch was zijn leven volkomen veranderd. 'Je moeder kondigde aan vanavond iets te vertellen. Ze liet doorschemeren dat het ernstig was, maar dit, wie verwachtte dit!! Dit kon niemand verwachten! Nee toch? Ik trek de gordijnen dicht en ik ga in mijn hemd en korte broek in de kamer zitten. Ik heb het benauwd, ik voel me geraakt. Niet omdat me veel is ontnomen, dat is overdreven, maar omdat alles zo anders

is dan ik altijd geweten heb. Ik ben niet Jurrien Beekman, dat is mijn echte naam niet. En Jurrien, vernoemd naar mijn opa, dat is ook niet juist! Maar er is te veel om nu te kunnen verwerken.'
Eveline liet hem praten. Ze wist uit ervaring dat dat bij spanningen oor hem beter was dan zich inhouden om naar haar te luisteren... Zij wist trouwens ook niet welke zinnig woorden ze nu kon uitspreken. Ze had haar schoenen uitgetrokken en liep op blote voeten door de kamer.
'Toen je moeder begon over Wansum vroeg ik me af of we jeugd-herinneringen te horen kregen. Maar daarvoor zou je moeder ons niet bij elkaar roepen. Een nare gebeurtenis uit die dagen misschien. Grootvader Johannes die iemand had doodgereden. Maar wat moesten wij daarmee? Toen kwam voor het eerst de naam van Betty Blokker. Die naam zei me niets, Betty Blokker, nog nooit van gehoord, maar in het verdergaan van het verhaal werd die naam steeds belangrijker. Want, hoor je goed, Evelien, die Betty Blokker is mijn moeder! Hoe is het mogelijk! Ik heb die naam nooit gehoord. Jij ook niet en opeens is zo'n naam er! Betty Blokker en haar moe-der! Heeft jouw moeder een voornaam genoemd? Ja, Nel. Nel Blokker. Mijn grootmoeder. Ze wilde niet voor me zorgen. Ik wil de hele geschiedenis opnieuw aan me voorbij laten trekken. Vrouw Blokker was geen gemakkelijke tante. Ze had het niet prettig met een saaie, slome en zoals ik het begreep, luie man, maar ze heeft hem toch zelf uitgekozen? Ja toch? Zo'n vent schudt je toch van je af?'
'Mama vertelde wel dat hij sloom was, maar niet zo sloom om haar zwanger te maken. Waarschijnlijk moest ze voor het goede fatsoen met hem trouwen. En om een weekloon binnen te krijgen.'
'Dat zal het geweest zijn.' Hij stond op. 'Ik haal een biertje. Het is al erg laat, maar naar bed gaan heeft geen zin. We kunnen toch niet slapen. Wat wil jij drinken? Een glaasje wijn?'
'Nee, doe maar iets fris. Mijn hoofd zit vol vreemde gedachten. Ik kan ze niet thuisbrengen, ze dolen rond en ik laat het maar zo. Alles

zakt vroeg of laat wel op zijn plaats.' Ze lachte even en voegde eraan toe: 'Het zal in dit geval wel laat zijn.'

Jurrien zat in de stoel. Hij keek naar Eveline toen ze met een glas water in de hand van de keuken naar de kamer liep.

'Twee vriendinnetjes, Betty en Martha, zo begon het ware verhaal. Er kwam een vriendin bij, Marie... Mijn moeder Marije. Waarom heeft ze haar naam veranderd? Waarschijnlijk omdat het haar het gevoel gaf een nieuw leven te zijn begonnen.' Jurrien zuchtte diep, praatte dan verder: 'Nu ik aan haar denk krijg ik een beeld van vrouw Blokker. Groot, stevig en haar mond op de goede plaats. En als ik de omstandigheden, die meespeelden in het drama, op een rij zet, kan ik met haar mening leven.'

Eveline keek hem verbaasd aan. 'Jurrien toch!! Ze heeft totaal tegen de wet in gehandeld!! Elk kind dat geboren wordt moet aangegeven worden!! Vrouw Blokker legde de wet naast zich neer en vond dit de beste oplossing.'

'Voor haar dochter en voor zichzelf en ook voor Anton en Marie, maar wat ze gedaan heeft was in strijd met de wet. Dat is inderdaad zo. Vrouw Blokker wist dat veel dingen gebeurden, misschien niet in strijd met de wet, maar wel in strijd met het welzijn van de mensen. Het uitlokken van oorlogen, landen veroveren, je eigen mensen daarbij laten vermoorden. In de hemel zal het meenemen van en klein jongetje vergeven worden. Daarop vertrouwde vrouw Blokker en daar geloof ik in. Hoe langer ik over alles nadenk, hoe meer vragen er komen. Mijn ouders, hoe konden ze hiermee leven? Gewoon een wieg kopen, luiers, hemdjes en truitjes en in een donkere nacht een kindje ophalen, meenemen naar je huis en het de volgende morgen blij als je eigen zoon aangeven bij de burgerlijke stand. Dat is toch onvoorstelbaar?! Maar mijn vader deed het! En dan het verbond van de vrouwen. Vier vrouwen gaan om een tafel zitten en nemen het besluit: dit is het beste voor ons alle drie en voor het kind. Jouw moeder was erbij betrokken, maar eigenlijk stond ze er buiten. Ze was getuige, ze deelde in het geheim en in het besluit en ze zweeg. Ze legden die nacht de handen op tafel, keken elkaar aan en wisten: zo gaat het gebeuren. En wij zwijgen erover. Dat zwijgen bleef vele jaren duren. Tot mijn moeder voelde dat haar dood nabij was en dat ik, als zij stierf zonder iemand te vragen erover te vertellen, nooit zou weten wat er in mijn leven was gebeurd. Want jouw moeder zou blijven zwijgen. En mijn vader bleef zwijgen. Zou je moeder ooit het grote geheim over zijn afkomst aan haar schoonzoon verteld hebben?! De vader van haar kleinkinderen! Dat is toch onbegrijpelijk?'

'Ik weet het niet, Jurrien. Ik weet het echt niet hoe het in de toekomst gegaan zou zijn. Misschien, na jaren. Voor mijn moeder zal haar belofte aan Betty Blokker zwaar gewogen hebben. Deze beslissing was voor Betty een goede oplossing. Mijn moeder heeft misschien gedacht: het is voor iedereen goed gegaan. Jij had een fijne jeugd, een prima opvoeding. Je bent een schat van een jongen geworden. Het is goed zo.'

Jurrien liep naar de keuken en kwam terug met een flesje bier. Hij wipte met een opener de dop eraf en goot de inhoud in zijn glas.

'Betty Blokker klinkt zo gewoon, het is geen mooie naam. Blokker, ja, dat zegt ons wel iets, maar daar zal ze geen familie van zijn. Een simpele boerenman uit Wansum was haar vader. En dat meisje, een kind nog, zeventien, misschien was ze in de tussentijd achttien geworden, kreeg tegen haar zin een kind. Ze wilde dat kind niet, ze kon er ook niet voor zorgen. Dat moet toch een andere bevalling zijn geweest dan wat jij hebt doorgemaakt bij de komst van onze kinderen. Dat was ook vreselijk, maar voor jou wachtte aan het einde van de strijd een baby.' Hij dronk een paar slokken van het bier en keek naar haar. Ze liet zijn woorden over zich heengaan. Het was een uiting van de grote spanning waarin hij zich bevond en ook het gevoel niet te weten hoe alles te moeten begrijpen. 'Betty Blokker, zielig dat ze dit moest meemaken, maar Evi, het is wél mijn moeder! Weet je dat? Ja, dat weet je!' Hij schudde zijn hoofd. 'Zou ze in Wansum gebleven zijn? Heeft moeder Martha daar iets over

gezegd? Ik kan het me niet herinneren, maar de woorden van vanavond zijn als een heftige regenbui over me heen gestort.'
'Ik geloof niet dat mijn moeder daar iets over gezegd heeft.'
'Misschien woont ze er nog. En is ze later met een leuke boerenzoon getrouwd. Niemand in het dorp wist en weet van het drama. Want mijn komst was een drama. Ze verborg me onder wijde truien en vesten en ze kwam bijna de deur niet uit. Dat heeft je moeder wel verteld, dat weet ik nog.'
Even een stilte waarin Jurrien met een zacht schuddend hoofd het bierglas leeg dronk.
Opeens keek hij haar strak aan. 'Je moeder heeft ook iets gezegd over de vent die haar zwanger heeft gemaakt!! Weet jij die naam nog? Die vent is mijn vader!'
'Het is iets als Van Arkel of Van Berkel. In die richting gaat het. Maar moeder weet de naam. We kunnen het haar vragen. Maar, dat heb ik uit het vertellen tenminste begrepen, Betty heeft hem niet verteld dat ze in verwachting was. Nadat zijn moeder ontdekte dat er iets groeide tussen die twee heeft ze Betty meteen het huis uit gezet. Maar het leed was al geschiet. Waarschijnlijk heeft die jongen nooit geweten dat de vrijpartij gevolgen had.'
'Dat is mogelijk. Misschien woont hij nog in Wansum. Zijn vader en moeder hadden iets met mode te maken.'
'Modezaken in Amsterdam. Weet je, Jurrien, nu ik hierover nadenk verbaast het me dat mijn moeder die details erbij heeft genoemd. De naam van het meisje en de naam van de jongen.'
'De vraag van mijn moeder aan haar was alles te vertellen over wat toen is gebeurd. Misschien hoopte ze dat ik op zoek zal gaan en mijn echte ouders zal vinden.'
Hij dacht over die woorden na en zei toen: 'Maar dat geloof ik toch niet. Ze was zo ziek, te ziek om aan die mogelijkheden te denken. Ik denk dat ze al veel langer in haar leven een schuldgevoel tegenover mij heeft gehad omdat ze me niet vertelde wat er was gebeurd. Strijd tussen twee gevoelens: haar plechtige belofte aan de drie vrouwen

voor altijd te zwijgen – wat je belooft moet je doen – en, als ze mij zag, vooral toen ik ouder werd en mijn leven goed in de hand had, het belangrijke geheim niet te vertellen. De laatste dagen van haar leven bracht er veel wroeging over. Misschien ook de angst voor de dood en het zich moeten verantwoorden voor haar daden. Ik kan me er geen voorstelling van maken hoe het moet voelen te weten dat je snel zult sterven. Mijn lieve moedertje, wie weet hoe ze onder dit zwijgen geleden heeft....'

'Ik denk dat het het beste is alles over ons heen te laten komen.'

'Dat zal het beste zijn en er is ook geen andere weg. Maar het zal lang duren voor alles een plekje heeft gekregen waar we het kunnen afsluiten. Het enige wat ik op korte termijn wil doen is naar mijn vader gaan en met hem praten. Hij weet over welke geschiedenis gisteravond door jouw moeder is verteld. Je moeder heeft hem gezegd dat ook hij welkom was, maar hij wilde er liever niet bij zijn. Dat begrijpen we. Ik denk dat het het beste is als ik alleen naar hem toe ga. Maar, lieverd, als je wilt mag je mee! Vader is erg op je gesteld, hij is blij met zijn schoondochter.'

'Het is het beste dat jij alleen gaat. Het wordt een moeilijk en ook vreemd gesprek tussen een vader en een zoon.'

'Dat zeg je goed, we voelen ons allebei vader en zoon, maar we weten nu dat dat niet zo is.' En aansluitend vroeg hij: 'Wil je nog een flesje bier voor me halen? Als dat is opgedronken gaan we naar bed.'

9

DE VOLGENDE MORGEN FIETSTE MARTHA WELKERS ROND TIEN UUR van de Borgerlaan naar het Van Amerongenplein. Eveline was niet verbaasd haar moeder te zien; ze verwachtte haar. 'Hallo, meisje,' met die woorden kwwam Martha de kamer binnen. Marthy rende meteen op haar af. 'Oma!! Oma, ga je met me kleien? Jij weet hoe het moet, jij maakt mooie dingen.' 'Nee, schatje,'kwam Evelien tussen beiden, 'oma en mama willen met elkaar praten. Ga jij maar even alleen spelen.' Een beetje teleurgesteld ging het meisje terug naar haar speelgoed. 'Mam, hoe is het met je na die vreselijke avond?' 'Zeg dat wel, vreselijke avond. Ik zag er verschrikkelijk tegenop over die geschiedenis te vertellen. Maar ik heb gedaan wat Marije me gevraagd heeft. Het was de wil, ik voel het meer als "de opdracht" van een doodzieke vrouw. Ik kon niet weigeren en, Evelien, diep in mijn hart wilde ik ook niet weigeren. Ik zag tegen "het praten" op zich op. Verbaasde gezichten, die me aanstaarden, en ik was bang voor de vragen die zouden komen. Maar eigenlijk ben ik blij dat dit is gebeurd. Het "geheim", zoals wij het destijds noemden, dit zwijgen hoefde niet langer een zwijgen te zijn. Het was goed jullie, en vooral Jurrien, te vertellen wat is gebeurd. Maar ik was me er vóór ik eraan begon heel goed van bewust dat er veel vragen en veronderstellingen zouden komen. En ik vroeg me af: weet ik daarop alle antwoorden?' 'Ik zet koffie. We kunnen wel een stevig bakje gebruiken. Hoe reageerde papa erop dat we er allemaal waren?' 'Hij wist dat er iets te gebeuren stond, dat was hem na jouw vraag aan mij duidelijk geworden. Ik had hem alleen gezegd dat ik iets moest vertellen en dat ik jullie in ons huis wilde hebben. En ik heb hem gezegd dat ik heel veel moeite had met wat komen ging. Hoe is het hier gegaan?'

'Jurrien heeft vanaf het moment waarop we thuiskwamen tot diep in de nacht gepraat. Steeds weer kwam een nieuw gezichtspunt naar voren. Hij vroeg mij dan één en ander, maar ik heb ook niet woord voor woord van wat je gezegd hebt onthouden. Het was een té ongelooflijk verhaal. De voornaamste mensen waaraan Jurrien nu denkt zijn zijn echte vader en moeder. Met moeder Marije heeft hij veel medelijden, want dit weten was toch zwaar om te dragen. Voor vader Anton hoopt hij dat hij de weg zal vinden verder te gaan. Wij blijven naast hem staan. Hij is, hoe danook, voor ons gevoel Jurres vader.'

'Dat is mooi. En ik begrijp het van jullie.'

'Mam... Betty Blokker...'

'Betty Blokker was mijn vriendin. Dat heb ik gisteravond verteld. We waren vanaf onze kinderjaren veel samen. We woonden wat mijn moeder "deur aan drempel" noemde. We konden elk moment bij elkaar binnenstappen.

Ik heb uitgebreid over Betty's moeder verteld, Nel Blokker. Het was nodig dat jullie een juist beeld van die vrouw kregen. Want het moest duidelijk worden dat Nel Blokker een grote rol heeft gespeeld in het hele gebeuren.

Toen Betty thuiskwam met het bericht dat ze was ontslagen omdat Boudewijn nu en dan in de keuken kwam en zij dan samen praatten en lachten, begon moeder Nel meteen hoog van de toren te blazen. Ja, ja, ze begreep dat mevrouw geen omgang wilde tussen haar zoon en een keukenmeisje. Ja, dat begreep ze! Mevrouw zou meteen geroepen hebben dat Betty de jongen gek had gemaakt, zo ging het altijd. Zij kende tientallen van die verhalen! Maar zo was het in werkelijkheid niet. Betty heeft me verteld dat Boudewijn en zij zich tot elkaar aangetrokken voelden. Ze probeerde het ook haar moeder te zeggen, maar die luisterde niet, Mevrouw Van Berkel heeft alleen gezegd dat een verhouding tussen haar zoon en Betty onmogelijk was en dat het beter was dat Betty een andere werkkring zocht.

Betty vond het jammer, Boudewijn was een aardige jongen, maar ze begreep dat het tussen hen niets kon worden. De zoon van bezitters van een groot bedrijf, een prachtig huis en daarnaast geld genoeg om te kopen wat ze wilden hebben. En zij, de dochter van arme mensen uit het Kerkepad... Een paar oude fietsen in het schuurtje... Later, toen ze wist dat ze zwanger was, wilde ze Boudewijn op de straatweg opwachten om het hem te vertellen. Maar ze kreeg niet de kans het huis uit te gaan, moeder Nel waakte over haar. Moeder Nel had andere plannen en in dat kader was het beter als er niets naar buiten werd gebracht.'

Eveline schonk koffie in en zette een koektrommeltje op de tafel.

'Is Betty na de geboorte nog lang thuis gebleven?'

'Nee, want, lieve kind, ik kan het nu met een lachje vertellen, maar eigenlijk was het diep bedroevend. Er speelde nog iets mee. Al tijdens de ziekte van Jochem Blokker had Nel vriendschap gesloten met een handelaar in aardappelen uit Wallinga. Johanna was intussen de deur uit, getrouwd met Jaap Houtman. De angst dat haar jongste dochter met een kind zou thuiskomen was voor Nel een schrikbeeld. Hoe moest het dan als Dirk wilde langskomen? Toen alles rond Betty speelde wisten Marie en ik niet van Dirk Velzeboer. In de hele geschiedenis zocht moeder Nel voor iedereen de beste oplossing, maar in de eerste plaats voor zichzelf.

Ik heb de dagen vóór gisteravond geprobeerd zoveel mogelijk terug te halen van wat toen gebeurde. Voor Betty was het een verschrikkelijke nare tijd. Ze wilde geen kind zonder vader, dat is beslist waar; en daarnaast was het voor haar onmogelijk voor een kind te zorgen. Waar moest ze wonen? Waar moest ze geld vandaan halen voor eten en drinken? En de minachting van de mensen om haar heen telde voor Betty ook zwaar. Vrouwen, die zelf door het oog van de naald waren gekropen waar het een ongewenste zwangerschap betrof, maar meer geluk hadden gehad, durfden haar in de grond te trappen. Want geloof me, Eveline, Wansum was een klein dorp, maar er speelde zich destijds heel wat af. Hoe dan ook, het was verschrikkelijk voor Betty. Het was háár kindje dat geboren ging worden. Ze verwachtte het negen maanden. Ze wist wat in haar lichaam gebeurde. Daar groeide een klein mensje. Maar het kon haar kindje niet zijn. Niet omdat ze het niet wilde, maar omdat de omstandigheden het niet toestonden. Betty was ervan overtuigd dat de baby het uitstekend zou krijgen bij Anton en Marie. Ze legde hem in goede handen.'

'Wat gebeurde er na de bevalling?' Dit was één van de vragen van Jurrien; nu zou moeder er het antwoord op geven.

'Betty nam kort daarop het besluit weg te gaan uit Wansum. Intussen was de kwestie Dirk Velzeboer bekend geworden in het dorp. Hij kwam vaker over de vloer, voor Betty was het haar "thuis" niet meer. Ze schreef op een advertentie, die ze in De Telegraaf had gelezen. Meisje gezocht in de huishouding bij een gegoede familie. Rijke mensen met een prachtig huis. Voor Betty was er een mooie kamer; daarover heeft ze me kort na haar vertrek geschreven. Betty is vertrokken en na dat ene briefje heb ik nooit meer iets van haar gehoord. Ik weet ook niet naar welke stad in het zuiden ze is vertrokken. Vaag herinner ik me de naam Tilburg. Maar het is mogelijk dat het werk daar haar niet beviel,'moeder Martha glimlachte even, 'misschien een grote zoon over de vloer en daar was ze bang voor en is ze op zoek gegaan naar een andere baan en heeft ze die gevonden. Wij, pap en ik zijn weggegaan uit Wansum. Vader ging werken bij Van Laren en we konden een huisje huren in de Lambertstraat in Voorberg. We waren zielsgelukkig. Later hebben we het huis in de Borgerlaan gekocht.'

'Jurrien wil zo gauw mogelijk naar zijn vader gaan.'

'Het is voor Anton een moeilijke tijd. De ziekte van Marije maakte hem intens verdrietig en haar sterven was een zware slag. En kort vóór dat sterven haar wil dat hierover gepraat werd. Ik heb hem, toen ik hoorde van Marijes wens, gebeld. Hij huilde aan de lijn. "Het heeft haar rust gegeven," snikte hij, "dat jij dit wilt doen. Ze had het er allang moeilijk mee. Omdat we niet eerlijk tegenover Jurrien waren geweest. Dat kon toen hij klein was, maar nu vond ze het zwijgen niet goed meer. Dat was het ook niet, dat geef ik toe, maar ik ben zo bang voor alles wat het doorbreken van het zwijgen zal opleveren. Denk daar maar goed over na, Martha, wat kan er allemaal uit voortvloeien?" Maar Marije hield vol dat de waarheid op tafel moest komen. En dat is gebeurd.'

In de avond trok Jurrien zijn jack aan om naar zijn vader te gaan. 'Wat moet ik zeggen als ik bij hem binnenstap?'
'Dag, pap! Toen je klein was noemde je hem papa, sinds jaren is het pap. Dat klinkt vertrouwd. Je vader is nog steeds dezelfde man. Maar, Jurrien, je moet daarover niet denken. Gewoon de woorden uitspreken die in je opkomen.'
'Hij zal heel emotioneel zijn.'
'Dat is begrijpelijk. Hij heeft veel meegemaakt.'
Jurrien reed door de stad. Niet te snel, hij wilde tijd winnen om zichzelf wat uitstel te geven. Hij was niet bang voor de ontmoeting, maar hij wilde de woorden zoeken die hij het beste kon zeggen... Hij wist die woorden niet.
Hij reed de wagen de Spanjaarddreef in en parkeerde voor het huis. Zijn vader stond op uit een lage stoel. Hij bleef even staan, stak een hand op, liep naar de voordeur en trok die open.
'Kom binnen, jongen, fijn dat je er bent.'
Jurrien sloeg zijn armen om de man heen en drukte hem even tegen zijn lichaam. Zijn vader huilde.
'Laat me maar, Jurrie, ik schaam me niet voor mijn tranen. Ik heb het zo moeilijk. De ziekte van mama was vreselijk, maar ze was er nog, ze was bij me. Maar je mag voor een mens, die zo ziek is en zoveel pijn lijdt, niet hopen dat het nog langer zal duren voor de bevrijding komt als God haar naar zich toehaalt...'
Anton Beekman liep bij deze woorden door de gang naar de huiskamer. Jurrien volgde hem en sloot de deur.
'Ga zitten, jongen. Ik mis je moeder verschrikkelijk. Het leven is zo anders geworden. Ik ben alleen. Alleen in de keuken, alleen in ons

bed.'

Hij ging ook zitten. Hij probeerde zich te herstellen, hij moest rustiger worden, niet huilen, niet zielig doen, ervoor zorgen dat de jongen bij hem wilde blijven. Hij vroeg: 'Hoe is het gisteravond gegaan?'

'Je kent de gebeurtenissen van toen, maar de mensen die gisteravond naar moeder Martha luisterden vielen van de ene verbazing in de andere.'

Anton Beekman knikte. Ja, dat begreep hij. 'Ik heb vanaf de nacht waarin ik jou naar ons huis droeg vaak over die, zoals jij ze noemt "gebeurtenissen" gedacht. Het was een samenloop van omstandigheden. Betty was zwanger, Nel wilde geen kind meer opvoeden. Als ze dat wel had gewild kon Betty werk zoeken. Maar Nel wilde het beslist niet. Ze wilde ook niet dat het dorp over het kind hoorde. Als alles leuk en goed verliep was Nel Blokker een gezellige vrouw, maar als er iets aan de hand was wat haar niet zinde nam zij de touwtjes strak in handen. Dan was het een furie, dat mag ik gerust zeggen.

Betty, Martha en Nel wisten dat in ons huwelijk nooit een kind geboren zou worden, terwijl we er zo naar verlangden. Als je aan recht door zee, op je doel af kunt denken en handelen – en dat kon Nel Blokker – pas je de mogelijkheden aan elkaar en vind je een oplossing. De vraag "mag dit wel?" beantwoordde Nel met de woorden dat niemand uit het dorp, niemand uit de stad en niemand van de mensen in Den Haag een hand en geld toestaken om te helpen. Zij moesten het zelf oplossen. En dat zouden ze ook doen. Nel vond dat zij het recht had de beste oplossing te zoeken. Want jongen, denk daar wel aan, het was, in de omstandigheden van toen, de beste oplossing. Betty was weer vrij en ze wist dat haar kind het goed zou krijgen. Nel had geen zorgen meer. Jouw schoonmoeder had er eigenlijk niets mee te maken, maar ze was in de kring en ze wist van alles, ze hoorde erbij.'

Anton Beekman zweeg. Jurrien keek naar hem. Bij het binnenkomen was hij geschrokken van zijn vader. De man was mager en zijn gelaatskleur was grauw. Maar nu, na het praten, kwam er kleur op zijn wangen.

'Nu gaat het erom hoe jij alles hebt opgenomen en of je het kunt verwerken.'

'Het was een heftige avond voor me, dat kan ik niet ontkennen. Maar, pap,' hij gebruikte dit woord om de man die hij toch als zijn vader zag, te helpen in dit moeilijke gesprek, 'pas als ik alles wat ik hoorde goed heb overdacht weet ik hoe ik ermee moet leven. Mama Marije blijft voor mij mijn moeder. En jij blijft mijn leven lang mijn vader. Maar,' hij bracht een lach op zijn gezicht, 'het is nu wel zo dat er een vrouw is, hopen we dat ze nog leeft, die mij op de wereld heeft gebracht. Dat gebeuren maakte haar tot mijn biologische moeder. Datzelfde geldt voor mijn vader. Maar deze opmerking wil niet zeggen dat ik meteen een zoektocht begin. Het is begrijpelijk dat het in mijn hoofd, en in dat van Eveline, nog stormachtig is. We willen proberen tot rust te komen. We hebben tijd nodig om alles "een plaatsje te geven", zoals moeder Martha het noemt.'

'Jongen, je stelt me gerust. Ik ben de lange nacht in de kamer gebleven. Gisteravond zag ik in gedachten de woonkamer van de Welkers voor me. En ik zag de mensen die gevraagd waren daar te komen. Ik dacht: ze zullen in de eerste plaats nieuwsgierig zijn en daarnaast mogelijk een beetje lacherig bij elkaar zitten; je weet hoe bijvoorbeeld Marit kan reageren... Ze is heftig geëmotioneerd, maar probeert dat te verbergen achter flauwe grapjes. Om half negen voelde ik: nu spreekt Martha de eerste woorden uit...'

Jurrien knikte. 'Dat klopt. Half negen is voor een bijeenkomst een mooi tijdstip om te beginnen.'

'Later dacht ik: nu weet Jurrien het. Nu weet hij dat hij niet onze zoon is.'

'Het was, op dat moment, een diepe teleurstelling. Het was ook ongelooflijk, vreselijk om te horen en te weten: ik ben niet de zoon van mijn vader en moeder. Maar het is beter te zeggen dat ik niet verwekt ben door de man die ik mijn vader noem. Het verwekken is een gebeurtenis wat op een mooie avond kan gebeuren. Maar de vader die jij voor mij bent, die met mij in zijn armen door het huis liep, bleef door de jaren heen de vader die me hielp, me steunde, met me praatte, me met alles wilde helpen, naar me luisterde en me troostte...'

'Het is lief van je het zo te zeggen. Het doet me goed. Maar de intentie van het vaderschap is toch dat de man via zijn zaad de eigenschappen van de familie overbrengt op het kind. Jij weet niet welke uiterlijke kenmerken je van je biologische vader hebt meegekregen, ook niet welke artistieke gevoelens, het houden van kleur en harmonie. Je schoonmoeder kan je over je moeder vertellen. Ik weet dat het een vrolijke, lieve meid was.'

Anton Beekman stond op. 'Ik haal een paar flesjes bier. Het gaat anders dan toen moeder nog leefde. Toen begon de avond met koffie. En altijd een koekje erbij. Die tijd is voorbij en ze komt nooit meer terug.'

De woonkamer in het huis van Marit en Joris was een heel lichte kamer. Grote ramen aan de voorzijde, een kleiner raam in de zijgevel en achter een schuifpui naar de tuin. Als in de avond de gordijnen waren toegeschoven was de kamer nog licht. Door de vele lampen en door de inrichting. Een bijna wit bankstel, kasten van licht hout, kleurige vazen en schalen.

'Lieveling,' zei Joris, 'ik moet met je praten.'

'Alsjeblieft niet. Er is gisteravond genoeg gepraat door moeder Martha. En alles wat ze heeft gezegd heeft me de hele nacht beziggehouden. Ik heb vrijwel niet geslapen.'

'Dat geloof ik.'

Als hij nu afwachtte zou zij verder praten en kwam hij niet bij de vraag die hem vanaf de voorbije avond bezighield.

Marit strekte haar handen naar hem uit. Ze zat op de bank, ze wilde dat hij naast haar kwam zitten, maar dat deed hij niet. Joris wilde haar gezicht zien. De reactie en de emotie. Hij had ze gisteravond gezien, en veel kwam hem als logisch en begrijpelijk voor, maar iets in haar houding en kijken maakte dat hij vermoedde: er is nog iets. En dat "iets" wilde hij weten. Hij zocht naar wat haar die avond werkelijk had getroffen. Dat was niet alleen het verhaal van Jurrien. Er was iets anders wat haar dieper had geraakt. Joris had een stille glimlach voor zijn gedachten. Hier was het weer: willen weten wat verborgen was. Een angst, een geheim, een liefde, een misdaad... Dit zoeken volgde hem bij het lezen van een boek, het kijken naar een film, het zien van een toneelstuk... Wat hield de maker verborgen, wat had hij er voor de kijker of lezer in verwerkt waarnaar gespeurd moest worden? Velen zouden het niet vinden. Voor Marit kwam gisteravond tijdens het luisteren de reactie: dus toch... Maar hij wist niet waarover het ging.

'Jurrien is niet de zoon van mijn oom Anton en mijn tante Marije.'

'Is dat voor jou belangrijk? Los van de vraag hoe belangrijk het voor Jurrien is. Je bent met hem in hetzelfde huis opgegroeid, hij was een fijne, grote broer. En dat is hij nog.'

'Waar het om draait is het feit dat Jurrien niet de zoon is van mijn oom en tante. Ik noem mijn vader nog papa en ik noemde mijn moeder mama, maar ik weet al heel lang dat ze dat in werkelijkheid niet zijn. Dat blijft een weten op de achtergrond. Maar Jurrien wist tot gisteravond niet dat zij zijn echte vader en moeder niet zijn. Opeens zo'n nieuwe waarheid horen kwam hard aan.'

'Jij was er heel emotioneel onder.'

'Ja, natuurlijk!! Ik weet hoe dol hij op zijn moeder was en ik weet dat hij van zijn vader houdt!! Als opeens blijkt dat het surrogaatouders zijn, zelfs niet eens zoals voor mij, toch nog een oom en tante, dan staat je leven even stil.'

'Toch, lieveling, had ik gisteravond het gevoel dat er bij jou andere gevoelens meespelen. Ik heb gedurende de hele avond naar je gekeken. Ik hoefde niet te denken hoe dit verhaal mij zou raken, ik sta er los van, maar jij bent er nauw bij betrokken. Ik keek naar je en ik heb momenten gezien van verbazing, vertwijfeling, ongeloof, hoe kan ik ze nog meer benoemen...'

'Dat was ook zo. Ik verplaatste me in Jurrien; het verhaal ging over hem. Ik begreep hoe hij zich voelde. Niet omdat hij al die jaren voor de gek is gehouden, want zo was het niet en zo voelde Jurrien het ook niet. Het is de waarheid niet kennen. Hij is niet door Anton en Marije bedrogen, zo wil ik het niet noemen, maar het feit dat ze hem niet alles verteld hebben toen hij een grote jongen was geworden, ja, daar kunnen we verschillend over denken. Als moeder Marije niet had gevraagd erover te praten was er waarschijnlijk nooit een woord over gezegd. Het geheim was een geheim gebleven. Mogelijk was dat voor Jurres verdere leven niet slecht geweest. Maar nu ligt het anders. Jurrien en ik hebben dikwijls als broer en zus met elkaar gepraat. Meestal over onbelangrijke onderwerpen, maar voor ons waren ze belangrijk. Gisteravond ging ik met zijn gedachten mee en ik ben ervan overtuigd dat we dat allemaal deden. Hij hoorde dat vader niet zijn echte vader is en moeder niet zijn ware moeder. In die richting was nog nooit een gedachte in hem opgekomen. Nu overviel het hem als een heftige lawine. Ongelooflijk: hij is beslist even de weg kwijt geweest en wie zal het hem kwalijk nemen...'

Joris knikte. 'Zo was het inderdaad. We praten daar natuurlijk nog over. Maar, lieveling, het gaat mij om jou. Je weet dat ik alles van je wil weten. Toen moeder Martha vertelde dat het meisje Blokker zwanger was zag ik in jouw ogen langzaam verbazing groeien. Toen ze vertelde dat Anton Beekman geen kind kon verwekken zag ik de verandering van verbazing naar ontzetting. Er was iets van "ik wist het", een erkenning van je gedachten. Hoe kan ik het nog meer noemen? In dat alles is iets verborgen wat ik wil weten. Het ging op dat moment niet in de eerste plaats Jurrien aan, het ging vooral jezelf aan.'

Hij zag gespeelde verwondering op haar gezicht. Ze zei zacht: 'Ik begrijp je niet, hoe bedoel je dit?'

'Zoals ik het zeg. De woorden van moeder Martha horen en daarna

weten: Jurrien is het kind van Betty Blokker. Om het nog duidelijker te stellen: hij is niet de zoon van Marije Beekman. Dat weten greep je aan.'
'Ja, dat vertelde ik je al. En het greep iedereen in de kamer toch aan? Dit was een vreselijke schok voor Jurrien.'
'Inderdaad. Maar het heeft meer met jou te maken dan je nu wilt toegeven. Dat weet ik zeker, dat voel ik. En, Marit, ik hou van je, je bent mijn vrouw, je betekent alles voor me in het leven. Je weet dat ik nooit van iemand kon houden. Mijn ouders wilden mijn liefde niet, mijn broer misschien, maar alsjeblieft niet zichtbaar; op een afstand blijven. En er was ook niemand die echt van mij hield. Jij zat gisteravond dicht naast me. Ik voelde de spanning in je, ik volgde elke kleine beweging. Ik kon je gezicht zien. Al die reacties bij elkaar hebben me duidelijk gemaakt dat het niet alleen het weten is dat Jurrien niet de biologische zoon is van Anton en Marije. Ook de geschiedenis op zich heeft je niet diep getroffen. Het is één van de vele verhalen over een jong meisje dat gelooft in mooie woorden van een jonge vent. Maar, meisje, ik wil weten wat jou in deze geschiedenis het meest heeft geraakt. En ontken niet dat je heeft geraakt, ik weet zeker dat dat wel is gebeurd.'
Ze zat stil naast hem. Joris, zijn gevoeligheid, zijn liefde voor haar die soms naar beklemming dreigde te gaan. Joris wilde haar gevoelens en gedachten kennen. Het hem vertellen was de enige goede weg. En dat kon ook, want alle verliefdheid die ze voor Jurrien had gevoeld, was voorbij. Gisteravond draaide het om het denken: ik wist het, ik voelde het, het had gekund, een liefde tussen Jurrien en mij.
Ze ging even verzitten, meer naar hem toegekeerd en ze begon: 'Ik zal het je vertellen. Je dramt toch door tot je alles weet. Maar je moet mijn woorden geloven. Anders heeft het vertellen geen zin.' Ze haalde even diep adem en praatte verder: 'Toen de vriendinnetjes op school en in de laan, we waren acht, negen jaar, praatten over de jongetjes om ons heen, wist ik: mijn vriendje is Jurrien. Toen ik veertien was en de echte belangstelling voor jongens groeide, voel-

de ik liefde voor Jurrien. Geen echte liefde, daarvoor was ik nog te jong, maar het ontluikende, het prille van "ik vind hem zo aardig." Ik was daar verbaasd over, want de meeste meisjes vonden hun broers eigenwijze, vervelende jongens. Altijd het hoogste woord, altijd alles beter weten. Maar zo was Jurrien niet. Ik had warmte voor hem en dat gevoel groeide met me mee. Op de middelbare school werd natuurlijk gepraat over jongens. Het onderwerp hield ons bezig. Het was de beginperiode van jongens "anders zien", ze toch wel leuk vinden. Ze waren leuker dan we tot dan gedacht hadden. Over ze praten en giechelen, maar ík wist wie ík leuk vond. Mama vond die vriendjestijd van mij wel grappig. Vroeger, in haar dorp, waren er niet veel jongens die op haar lijstje stonden, maar voor mij en de andere meisjes was er op "Het hoge Hop" keus genoeg. Tom kwam bij ons over de vloer, ik ging met Wim naar feestjes; dat gedoe. Mama begon er nu en dan over en op een middag heb ik haar verteld dat ik Jurrien erg aardig vond. Maar dat ik wist dat hij mijn neef was. Mama stak meteen van wal met een verhaal over het gevaar van een huwelijk tussen een neef en een nicht. De mogelijkheid dat de kinderen, die in zo'n huwelijk geboren worden, geestelijk of lichamelijk gehandicapt kunnen zijn. Mama deed een relatie tussen neef en nicht als onmogelijk af. Ik stortte me in de armen van Pieter.' Ze zei het met een lachje, ze had eraan toe willen voegen: ...en nu dit weten, maar die woorden sprak ze niet uit.

'Je was gecharmeerd van Jurrien.'

'Ja. Omgekeerd was dat niet zo. Voor Jurre was ik zijn zus en niet meer. Ik was vaak een kattenkop, soms aardig, ik bracht reuring en gezelligheid in huis. Vriendinnen over de vloer, dat vond Jurrien leuk. Meer voelde hij niet voor mij. Dat hield de groei tegen van wat ik graag wilde. Ik zie het nu als een prille verliefdheid van een tiener.'

Joris stond op, liep naar de bank en ging naast haar zitten. Hij sloeg een arm om haar heen. Ze vond het prettig, veilig bij Joris, maar ze wist wat hij wilde weten. 'Mijn vrouwtje, mijn lieveling, ik vraag het je en ik wil een eerlijk antwoord: houd je nog van Jurrien... op die manier?'

'Nee, dat is voorbij gegaan, niet meer op die manier. Maar ik denk wel dat mijn gevoelens voor hem dieper gaan dan wat de meeste meisjes voor hun broers voelen.'

'Toen moeder Martha vertelde hoe Jurrien bij zijn ouders terecht is gekomen las ik op jouw gezicht de gedachten: dus toch... het had gekund... Jurrien is een "vreemde" jongen in mijn leven, geen familie... Het had gekund tussen ons. Daarop sloot het weten aan: maar mijn moeder, waarin ik in vertrouwen over mijn stille liefde voor hem vertelde, mijn moeder vertelde de waarheid niet. Dat deed woensdagavond pijn. Ze is dood, je hebt verdriet om haar en je mist haar, maar ze had dit toen aan jullie beiden moeten zeggen. Jurrien en jij hadden de leeftijd het te begrijpen.'

'Zo voelde ik het, ja.' Ze lachte naar hem. 'Het was het gevoel dat ik in mijn prille verliefdheid een droom had gekoesterd die nooit werkelijkheid kon worden. Maar nu, nu ik de echte liefde heb gevonden, hoorde ik dat ik verliefd op Jurrien mocht zijn. Want Joris, ik heb er ook nare dagen door gehad. Een meisje dat verliefd was op haar broer was een meisje waaraan iets mankeerde, waaraan een steekje los zat. Ze was niet normaal. Maar ik was verliefd op Jurrien. Wat moest ik ermee doen! Met wie kon ik erover praten? En dan, woensdagavond, horen wat de werkelijkheid is en opeens weten dat wat ik voor hem voelde niet abnormaal was!! Het deed toch pijn. Het weten dat mijn genegenheid, dat klinkt iets minder krachtig, voor hem niet verkeerd is geweest. Niet iets wat ik als kind dus dacht, dat het verkeerd was zo van je broer te houden. En het feit dat onze ouders ons de waarheid niet vertelden. Mogelijk deden ze het om bestwil, maar toch... Jurrien ging met Eveline...' en ze zei met luide stem: 'Het wrede spel van het leven, uitgerekend Eveline, de dochter van Martha, één van de vrouwen van het zwijgverbond! Was het toeval dat zijn ouders verhuisden van Wansum naar Voorberg en een huis kozen in de Borgerlaan? Marije Beekman en

Martha Welkers hadden elkaar enkele jaren niet ontmoet. Wat gebeurd was werd naar de achtergrond geschoven, op geen enkele wijze contact hebben vergemakkelijkt het zwijgen. Maar de jongetjes Hans en Jurrien vonden elkaar op het speelveldje achter de huizen... Het kan vreemd gaan in het leven. Was het toeval of was het iets wat hen toeviel?!'

Op een lichtere toon praatte ze verder: 'Joris, je bent een schat, ik hou van je. Ik ben met je getrouwd omdat ik je lief vind, maar ik weet dat je jaloers kunt zijn. Ik zou je uit angst voor die jaloezie nooit verteld hebben over mijn stille verliefdheid voor Jurrien. Omdat ik bang ben dat je het er moeilijk mee hebt. Jouw jaloezie hield mijn eerlijkheid tegen. Als ik je nu zeg dat Jurrien nog steeds een fijne broer voor me is en dat mijn liefde alleen voor jou is, dan blijft in jou nog een klein vonkje jaloezie branden. Ik ken je zo goed. Als er ook maar iets voorvalt tussen Jurrien en mij denk jij er onmiddellijk iets van. En dat kan heel veel tussen ons kapot maken.'

'Ik geef toe dat ik snel jaloers ben. Ik heb ook, dat weet ik van mezelf, op de achtergrond de angst je te verliezen. Ik ben zo gelukkig met je, ik wil je dicht bij me houden. Ik weet nu wat jou die avond in beroering bracht. Ik zal elke opkomende gedachten aan jaloezie meteen uitbannen, Marit, mijn lieveling, ik beloof het je.'

10

Jurrien liep snel de trap af, kwam de kamer binnen en ging door naar de keuken. Hij meldde op een licht toontje: 'Tonnie slaapt, één handje om zijn beer, één handje tegen zijn wangetje. En Marthy is een engeltje in een bedje. Jij zet koffie en als dat op tafel staat, vrouwtje van me, wil ik praten over de vraag die ons allebei bezighoudt.'

Eveline knikte. Ze wist waarover het zou gaan. Ze zette twee kopjes op het aanrecht en wachtte tot de koffie was doorgelopen. Jurrien liep naar de kamer. Toen de koffie op tafel stond zei ze: 'Je wilt praten over "hoe nu verder..."'

'Dat zeg je mooi. Ja, hoe nu verder... En directer: hoe gaan wij verder, wat gaan we doen. Ik wil mijn moeder zoeken. We hebben er, heel kort, met je moeder over gepraat. Zij vertelde dat Betty Blokker kort na de geschiedenis uit Wansum is vertrokken. Na het gebeurde besloten de vier vrouwen uit elkaar te gaan en elkaar niet meer te ontmoeten. Niet met elkaar praten, alleen zwijgen. Gewoon doodzwijgen. Nel Blokker is ook uit Wansum weggegaan. Met Dirk Velzeboer naar zijn woning in Wallinga. Ik heb het plannetje naar Wansum te rijden en daar een praatje te maken met de mensen die me vriendelijk groeten. Iedereen groette iedereen toch in Wansum? Een vreemd gezicht? Wat zoekt die man hier? Nou,' Jurrien lachte, 'dat zal ik u vertellen...'

'In elk geval ligt in Wansum het begin.'

Op een rustige middag reed Jurrien over de hoofdweg richting Wansum.

Hij zag het ANWB-bord dat aangaf dat hij rechtsaf moest slaan. Hij reed langzaam. Het was stil in het dorp. Een jonge vrouw lapte de ramen van een boerderij, een man fietste voor hem uit, een groot pak onder de snelbinders op de bagagedrager. Hij kwam in de buurt van de kerk en zag een winkel. Hij parkeerde de auto.

Achter de toonbank stond een man die hij rond de veertig schatte. Hij droeg een blauwe stofjas en was bezig iets af te wegen. De man keek op. Een vreemdeling, stelde hij vast. Het was aan de blik in zijn ogen te zien.

'Goedemorgen,' groette Jurrien, 'mag ik u iets vragen?'

De man lachte. 'Mijn vader gaf vroeger op zo'n vraag het antwoord: dat mag, als je maar niet om geld vraagt.'

Jurrien lachte met hem mee. Leuke uitspraak. Hij vroeg: 'Bent u bekend in het dorp?'

'Dat is een domme vraag. Natuurlijk ben ik bekend in het dorp. En mét het dorp.Ik sta al jaren achter de toonbank. Ik ken mijn klanten en vrijwel het hele dorp is klant, want meer winkels zijn er in Wansum niet. En de inwoners, dat is bijzonder, meneer, gaan niet naar de grote supermarkt verderop om hun boodschappen te halen. Ze willen een winkel in het dorp houden. Ze kopen bij mij. Dat vind ik prettig. Maar zegt u maar naar wie u op zoek bent. Misschien kan ik u de weg wijzen.'

'Woont in Wansum een familie Blokker?'

'Nee. Ik kan met zekerheid zeggen dat hier geen familie Blokker woont.'

'Misschien vroeger?'

'Dat is natuurlijk mogelijk. Ik ben nog niet zó oud, maar voor zover ik me herinner, nee, de naam Blokker komt me onbekend voor. Misschien kan mijn grootmoeder u verder helpen. Zij woont aan de overkant, zij weet veel van vroeger. Maar als zij u gaat vertellen over alles wat in het verleden in het rustige Wansum is gebeurd, komt u vanavond laat thuis. Het is, denk ik, verstandiger bij het gemeente-huis van Wallinga te informeren. Daar valt Wansum onder. Alle gegevens van de bewoners hier zijn daar opgeslagen.'

'Dat is een goede tip. Ik dank u wel. Ik rijd er meteen heen.'

'Ik wens u succes.'

Hij reed naar Wallinga. Een groter dorp dan Wansum. Ook een plein in de buurt van de kerk. Hier stond het gemeentehuis. Een niet groot, al oud gebouw. Hij las op het bord naast de deur de openingstijden. Hij had geluk, hij kon er binnengaan. In de kantoorruimte achter de balie zat een mevrouw achter een bureau. Ze stond op en liep naar hem toe.

'Goedemorgen,' groette hij vriendelijk, 'mag ik u iets vragen?'

Ze lachte naar hem. 'Ja, dat mag u.'

'Ik wil weten of ruim vijfendertig jaar geleden een familie Blokker in Wansum woonde.'

Hij zag haar aarzeling. 'Dat kan ik voor u nakijken, maar het is niet de bedoeling dat wij aan vreemden gegevens doorspelen. U kent de wet op de privacy.'

'Dat is waar. Maar als men meer wil weten over familieleden moet er toch ergens een beginpunt zijn om inlichten te krijgen.'

'Daarin hebt u gelijk. De familie Blokker. Rond vijfendertig jaar geleden. Neemt u even plaats.' Ze wees naar de bank in de hal. 'Ik kijk voor u.'

Na enige tijd kwam ze terug. Jurrien liep naar de balie.

'Er heeft een familie Blokker in Wansum gewoond. Aan het Kerkepad. Jochem Blokker en zijn vrouw Petronella Blokker – de Geus. Uit hun huwelijk zijn twee dochters geboren.'

Ze keek hem aan. Deze gegevens kende hij. 'Ik wil graag weten waarheen de dochters zijn verhuisd.'

Ze keek weer op de kaart die ze in haar hand hield. 'Johanna is getrouwd met Jaap Houtman. Ze is, na haar huwelijk, verhuisd naar Vlagtwedde in Groningen. Elisabeth is vertrokken uit Wansum en als nieuw adres is Tilburg opgegeven.'

'Ik zoek Elisabeth. Kunt u mij het ades geven? Dan heb ik een volgend aanknopingspunt.'Hij probeerde het gesprek een vertrouwelijk tintje te geven. Ze mocht niet denken dat er belangrijke zaken achter dit zoeken verborgen waren.

Ze pakte een blocnote en een pen en schreef een adres op. Ze reikte hem het velletje papier toe. 'Ik hoop dat ik u hiermee geholpen heb.'

'Dat zeker. Ik dank u wel.' En hij liep het kleine gemeentehuis van Wallinga uit.

Hij reed terug naar huis.

'Ik ben naar het gemeentehuis van Wallinga gereden. Daar heb ik de inlichting gekregen dat Betty Blokker kort na mijn geboorte naar Tilburg is vertrokken. Die naam noemde je moeder ook. Ik heb haar adres van toen, maar dat is inmiddels alweer vele jaren geleden.'

'Ik zie als enige oplossing naar Tilburg te rijden.'

'Dat wil ik ook. Als wat moeder Martha vertelde juist is heeft ze op dit adres, even kijken, Kastanjelaan 120, een baan gevonden. Ze zal daar nu niet meer zijn. Hopelijk wonen de mensen van toen nog in dat pand. Misschien kunnen zij ons verder op weg helpen. Ik wil dat je met me meegaat. We hoeven niet met z'n tweetjes voor de huisdeur te staan, ik kan alleen mijn woordje wel doen, maar ik vind het prettig je dichtbij me te hebben.'

'We zullen er met mijn ouders over praten. Ze hebben er begrip voor dat jij nu je alles weet, je moeder wilt zoeken. We vertellen over Tilburg en vragen of zij een middag op de kinderen willen passen.'

Jurrien knikte. 'We vragen ze morgenavond een kopje koffie te komen drinken.'

En dat gebeurde.

'Ik wil mijn moeder zoeken,' begon Jurrien het gesprek, 'en Evelien begrijpt dat. Ik doe moeder Marije er geen pijn meer mee.'

'Nee,' zei Jan Welkers, 'Marije niet. Mogelijk Anton Beekman wel. Maar hij heeft over het gebeuren nagedacht en hij begrijpt dat je deze stap wilt zetten.'

Die zaterdagmiddag reden ze naar Tilburg. De wagen zoefde over de weg. Het was stil tussen hen. Jurrien dwong zichzelf op het verkeer te letten, zijn gedachten niet te laten afdwalen, niet fantaseren over wat hij misschien te horen kreeg, ook niet denken aan een teleurstelling. Bijvoorbeeld dat de huidige bewoners van het huis geen notie hadden waar de bewoners van toen gebleven waren... Eveliens gedachten waren bij moeder Marije. Zij wilde dat alles verteld werd. Waarschijnlijk verwachtte ze dat hij op zoek zou gaan naar zijn biologische ouders. Wilde Marije Beekman haar zoon teruggeven aan zijn echte moeder? Betty en zij waren vriendinnen geweest. Toen lag alles op een moeilijker vlak, toen was wat gedaan werd de beste oplossing. Wat was nu de beste oplossing? Ze schrok licht van Jurriens stem. 'Ik heb een woonwinkel in Tilburg gebeld. Een collega dus. En hem gevraagd waar we de Kastanjelaan kunnen vinden.'

Ze draaide haar gezicht naar hem toe. 'Een prima idee.'

De Kastanjelaan was een prachtige laan. Stevige kastanjebomen in brede bermen langs de rijweg, aan weerskanten ruime woningen, villa's, in goedverzorgde, mooie tuinen.

Jurrien reed langzaam, het was rustig in de laan. Nummer honderdzestien, honderdachttien, nummer honderdtwintig.

'Zoals afgesproken, ga ik alleen naar de huisdeur. Als de mensen die hier wonen me niet verder kunnen helpen, ben ik snel terug. Als ze wel iets weten over Betty Blokker en me over haar willen vertellen, zeg ik dat mijn vrouw in de auto wacht en graag bij ons gesprek aanwezig wil zijn. Ik zie iets achter de gordijnen bewegen, er is in elk geval iemand thuis.'

'Ga maar, jochie. Ik wens je succes. Elk stapje naar ons doel is meegenomen. Waar op deze aardbol vinden we Betty Blokker?!' Ze wilde even door een lichte opmerking de spanning breken.

Jurien stapte uit. Hij opende het poortje en liep over het pad naar de deur. Hij trok aan de bel, die in het huis een klingelend geluid teweeg bracht. Een al wat oudere man opende de deur en keek hem vragend aan. Een verkoper van een tijdschrift misschien?

'Goedemiddag,' groette Jurrien. 'Ik ben Jurrien Beekman. Ik ben op zoek naar iemand. Uit de gegevens, die ik heb gekregen via het gemeentehuis in een dorp in onze omgeving, heeft "zij",' even een lachje, 'ik zoek een vrouw, dertig, vijfendertig jaar geleden in dit huis gewoond. Waarschijnlijk als hulp in de huishouding.'

'Noemt u mij de naam van die vrouw.'

'Betty Blokker.'

'Ja, Betty Blokker heeft hier inderdaad gewerkt. Komt u binnen, Dit is geen onderwerp om aan de deur af te handelen. Mijn vrouw weet er mogelijk meer van dan ik.' Hij deed een stap opzij om Jurrien binnen te laten, maar Jurrien zei: 'Mijn vrouw is met me meegekomen. Zij wacht in de auto. Mag ook zij binnenkomen?'

'Natuurlijk, dat is prima.'

Hij wenkte Eveline, ze liep naar hen toe. De man stond nog in de hal. Hij schudde haar de hand. 'Van Wagtendonk.'

Ze liepen door een gang, meneer van Wagtendonk opende een deur naar een ruime, lichte kamer.

'Henriëtte, hier zijn mensen die op zoek zijn naar Betty Blokker.'

De vrouw stond op uit een diepe stoel en liep op hen toe. 'Betty Blokker, dat is lang geleden. Ze woonde hier, ze was ons dienstmeisje, zo werden die meisjes toen genoemd.' Intussen gaf ze beiden een hand. 'Gaat u zitten. Wij kunnen u niet veel over Betty vertellen. Het was een rustig meisje, over haar werk waren we tevreden. Ze is niet lang bij ons gebleven. Ik weet niets van haar privé-leven. Betty praatte daar niet over en ik vroeg er niet naar. Ik zag haar ook niet vaak. Wij hadden destijds een bedrijf in de stad, we werkten daar allebei. In ons huis was een kindermeisje voor Felix en Rita, onze kinderen. In de loop van de middag, op werkdagen, kwam Anne om voor de maaltijd te zorgen. Betty was een aardig meisje, ze wist van aanpakken, ze voldeed uitstekend. Nu ik over haar praat herinner ik me dat ze heel nerveus was. Gauw in tranen als het even tegenliep. Anne vertelde me dat ze ervan overtuigd was dat Betty heimwee had. Heimwee, naar thuis., naar haar dorp en och, ze was nog jong, achttien jaar. Mij viel die heimwee niet op, maar ik vertelde het al, ik was vijf, soms zes dagen per week in de zaak. Anne kon goed met haar opschieten. En Anne praatte ook met haar. In de keuken, u weet wel hoe dat gaat. Mevrouw en meneer niet thuis... Maar mijn man en ik maakten daarover geen drukte. Alles verliep goed. De kinderen werden prima verzorgd, het eten stond op tijd op tafel en het huis was schoon. Het maakte ons niet uit hoe het drietal dat aanpakte.'

Jurrien knikte, hij vond het een uitstekende houding.

'Betty heeft hier ongeveer een jaar gewerkt. Toen wilde ze weg. Zij heeft er geen reden voor opgegeven en wij hebben er niet naar gevraagd. Ieder mens moet de vrijheid hebben te gaan en te staan waar hij of zij wil. Zo is het toch?'

Ze knikten instemmend.

'Weet u,' vroeg Jurrien, 'waarheen ze is vertrokken?'

'Nee,' zei mevrouw Van Wagtendonk, maar meneer kwam aarzelend: 'Ik herinner me dat we aan het einde van het jaar waarin ze ons heeft verlaten, in december, als kerstgroet, een kaart van haar hebben ontvangen. Daar stond een adres op. Ik weet vrijwel zeker dat die kaart in de ladekast tussen alle papieren en paperassen moet liggen. Maar het is niet zo dat ik kan zeggen: ik pak hem wel even.'

'Voor ons is het belangrijk dat adres te weten. Als het niet te veel moeite is; wilt u het voor ons opzoeken?' Eveline keek hem lief aan, 'en wilt u ons het adres dan doorbellen?'

'Mag ik vragen,' antwoordde meneer Van Wagtendonk hierop, 'in welke relatie u zoekt naar Betty Blokker?'

Jurrien antwoordde spontaan: 'Sinds heel kort weet ik dat zij mijn biologische moeder is. Ik ben opgegroeid bij een andere vader en moeder dan mijn eigen ouders. Ik heb een heerlijke jeugd gehad, maar nu we weten wat er destijds is gebeurd zijn we op zoek naar haar.'

Mevrouw sloeg haar handen voor haar gezicht. 'Ik ken uw leeftijd niet precies, maar het lijkt me dat u kort vóór zij hier kwam geboren bent. Mijn hemel, er was waarschijnlijk een grote tragedie achter Betty verborgen.'

'Dat was zo. Ik wil er niet meer over zeggen. Ik heb een fijne jeugd gehad, mijn ouders waren blij met me. Ik ben getrouwd,' hij lachte naar Eveline, het ging de goede kant op, 'we hebben twee kinderen. Ik ben gelukkig. Maar sinds het weten dat ik niet de echte zoon van mijn ouders ben groeit het verlangen mijn biologische moeder te leren kennen.'

'Dat begrijpen wij. Dit genre gebeurtenissen zijn ingrijpend in een mensenleven. Ik weet zeker dat Betty er nooit met Anne over heeft gesproken. Hoewel hun verhouding soms iets van een"moeder-dochter verhouding" had. Betty was nu en dan heel vrolijk. Ze speelde met ons dochtertje. Maar er waren ook stille dagen. Na wat we nu gehoord hebben kan ik me dat goed voorstellen. Ze werd waarschijnlijk gedwongen haar kind af te staan. Door mensen of door omstandigheden.

We proberen u te helpen. Morgenmiddag hebben we tijd om de paperassen uit de ladekast te halen. In elk geval bellen we u. Maar bedenk dat Betty hier niet langer dan een jaar is geweest.'

Twee dagen later belde Van Wagtendonk.

'Jongeman, we hebben het adres gevonden. Een ansichtkaart uit Leiden. We waren destijds licht verbaasd een kerstgroet van haar te ontvangen, maar we vonden het wel leuk. Mijn vrouw vertelde gisteravond dat zij snel een kaart naar Leiden heeft gezonden. Ik geef je het adres.' En meneer Van Wagtendonk noemde het adres: 'Aduaard van Rozenburglaan nummer achtentachtig.' Hij voegde eraan toe: 'Mijn vrouw en ik vinden het prettig dat wij die kaart zolang bewaard hebben. Hopelijk helpt het u bij uw zoektocht. Wij hopen voor u, en voor Betty, dat u elkaar zult ontmoeten.'

'Dat hopen Eveline en ik ook en wij danken u hartelijk voor uw hulp.'

Na het telefoongesprek legde Jurrien het briefje met het adres op tafel.

'Het is zoals het daar ligt het volgende stapje. We moeten er niet te veel van verwachten. Het is zoals Van Wagtendonk heeft gezegd, ze is maar een jaar bij hen geweest. Toen ze vertrok was ze ruim negentien. Ik vraag het telefoonnummer bij dit adres en we bellen.'

De volgende morgen belde Jurrien. Na lang rinkelen werd in een huis in Leiden de hoorn opgenomen.

'Heleen Dingemans!', klonk een jonge, vrolijke stem in zijn oor.
'Mevrouw Dingemans, mijn naam is Jurrien Beekman...'Hij
gebruikte dezelfde inleiding als die welke hij in het contact met de
Van Wagtendonks had gebruikt. Dat was goed gegaan. Rustig praten met een vriendelijke stem.
Na die eerste woorden reageerde de stem: 'O, neemt u me niet kwalijk, ja, ik heb gehoord wat u hebt gezegd. Maar ik verwachtte een
belletje van een vriendin, ik had mijn aandacht er niet bij. U bent
een vreemde beller! Dat hindert niet, natuurlijk hindert dat niet! U
wilt meer weten over een meisje dat ruim dertig jaar gleden hier
heeft gewerkt. Daar vraagt u me wat! Ik ben te jong, ik weet er niets
van! Maar, en dat komt voor u goed uit, mijn ouders hebben vóór
ons in dit huis gewoond. Het werd te groot voor hen. Het is wat
men noemt "een kast van een huis". Mijn ouders zijn naar een kleine bungalow verhuisd en Frits, mijn man en ik wonen hier nu. Wie
zoveel jaar geleden mijn moeder heeft geholpen... dat weet ik echt
niet! Ik kan het mijn ouders vragen, maar, meneer Beekman, ja, ik
heb uw naam goed verstaan, is het echt belangrijk om hier een
gesprek met mijn moeder over te beginnen? Is dat meisje van toen
een vroeger vriendinnetje die u graag weer eens wilt zien?'
'Het is voor mij heel belangrijk.' Nu open en eerlijk zijn, hij had het
in Tilburg ondervonden dat dat goed was. En waarom zou hij
geheimzinnig doen?
'Ik weet sinds enkele weken dat de Betty Blokker die wij zoeken
mijn biologische moeder is.'
'Zo, dat is nogal wat!! Ik hoor nu en dan verhalen over niet-echte
kinderen en hun speurtochten naar hun ouders. Het lijkt me aan de
ene kant heel verdrietig daarmee bezig te zijn, aan de andere kant
moet het ook spannend zijn. Maar ik heb er geen ervaring mee.'
'Ik wel. Het is inderdaad een verdrietige zaak. Maar ik heb bij mijn
pleegouders een fijne jeugd gehad. Nu ik dit weet wil ik graag mijn
biologische moeder ontmoeten.'
'Ook uw biologische vader?' Haar stem klonk zo licht, zelfs een

beetje frivool, het moest nog en heel jonge vrouw zijn.

'Ja, ook mijn vader. Maar ik begin met mijn moeder.'

'Dat begrijp ik. Neemt u het mij niet kwalijk dat ik hier een beetje te vrij op in ga. U overvalt me met dit telefoongesprek. En ik heb een levendige fantasie. Ik denk opeens aan zoveel dingen. Op zoek gaan naar je echte vader en moeder, daar moet toch iets van avontuur in zitten!! Maar wellicht voelt u het anders. Luister, meneer Beekman, ik stap straks op mijn fietsje en ik peddel naar mijn ouders. Ze zullen in hun geheugen moeten graven en dat kost tijd, niet voor u, maar omdat ik u graag wil helpen doe ik het voor u!' Even een aarzeling, toen zei ze: 'Het is de vraag of zij weten waarheen Betty is vertrokken. Maar ik stel er vragen over. Over een half uurtje ga ik naar hen toe. Zodra ik terugkom bel ik u. Welk antwoord ik u ook kan geven. Positief of negatief.'

Hij dankte haar voor haar hulp en legde met een lachje de hoorn neer.

Eveline was tijdens het gesprek de kamer binnen gekomen.

'Was het een leuk gesprek? Je lacht.'

'Ja,' en Jurrien vertelde erover.

Later op de avond rinkelde de telefoon. Jurrien nam op.

'Met Heleen. Ik ben bij mijn ouders geweest en zij herinneren zich Betty Blokker nog heel goed. Mama was vol lof over haar. Een rustig meisje, beleefd, netjes en ze deed haar werk uitstekend. Wat wil je als mevrouw nog meer!' Een schaterende lach van de andere kant van de lijn. 'Ze is ongeveer vijf jaar bij mijn ouders geweest. Betty woonde ook in ons huis. Mijn moeder vond dat niet nodig, een dienstmeisje kon vroeg in de morgen op haar fiets naar haar mevrouw komen, maar toen Betty in het eerste gesprek met mijn moeder vertelde dat ze geen woonplek in Leiden had, richtten mijn ouders een kamer voor haar in. Dat is toch heel aardig van hen geweest! Na vijf jaar ontmoette ze een leuke jongen. Ze kreeg verkering met hem, er waren trouwplannen en samen vertrokken ze naar Lodem.

Omdat mijn moeder en Betty ruim vijf jaar in hetzelfde huis hebben doorgebracht, zijn er gesprekken tussen hen geweest. Betty heeft mijn moeder verteld dat haar vader was overleden en dat het tussen haar moeder en haar niet goed ging. Haar moeder besliste wat zij wel en niet moest doen en ging daar heel ver in. Betty wilde het huis uit en kwam in Leiden terecht.' Even stilte, toen weer de jonge stem: 'Mijn moeder houdt sinds haar achttiende jaar een dagboek bij. Daarmee is ze begonnen na thuiskomst van een feestje waarop ze mijn vader voor de eerste keer ontmoette. Dat was zo'n gevoelige gebeurtenis, dat moest ze op papier vastleggen. Vanaf die dag schreef ze alle belevenissen op. Niet elke dag lange verhalen, vaak waren een paar woorden genoeg om iets belangrijks voor later uit de vergetelheid te houden. Ze gebruikte er geen echt dagboek voor, zo'n mooi gebonden exemplaar met een slotje en een sleuteltje, ze kocht elkaar jaar een flink kantooragenda. Die agenda's heeft ze natuurlijk bewaard. Je gooit zoveel jaren van je leven niet bij het oude papier! Ze heeft in de agenda, die rond de vertrekdatum van Betty is volgeschreven, gezocht naar een adres in Lodem. Dat heeft ze gevonden. Het is Wilhelminasingel, huisnummer vierentwintig.' Jurrien schreef het op.

De stem van Heleen babbelde verder: 'Als Betty nadien nog enkele malen is verhuisd duurt het nog even voor u uw moeder hebt gevonden. Maar ik hoop dat het snel gebeurt. Als u haar ontmoet moet u haar de groeten doen van mevrouw Smalland, mijn moeder. Ze heeft me gevraagd u dit te zeggen.'

'Mevrouw Dingemans, ik dank u heel hartelijk voor uw hulp.'

'Goed hoor, ik heb het graag gedaan,' en de verbinding werd verbroken.

'Weer een adres! In Lodem. Als ik het goed weet ligt het in de Achterhoek. Morgen bellen, het is nu te laat iemand met mijn vraag te overvallen.'

De volgende avond toetste hij het nummer in dat hij via de telefoondienst had gekregen. Welke man of vrouw kwam nu aan de lijn? Een jonge man, een oudere vrouw... En kon hij of zij hem weer een stapje verder helpen?

Er werd opgenomen en een stem zei: 'Met Betty...'

Jurrien liet van schrik bijna de hoorn uit zijn hand vallen. 'Met wie zegt u,' vroeg hij nogal dom, want hij wist toch welke Betty dit was? Maar hij kon, trillend in de stoel, niet nuchter denken.

Vanaf de bank keek Eveline verbaasd naar hem.

'Betty Blokker,' zei de stem.

'Mevrouw Blokker...,' maar hij wist nog niet wat te zeggen en haar stem kwam, met iets van ongeduld: 'Wat wilt u? Zeg het kort en duidelijk, anders breek ik dit gesprek af.'

'Ik kan niet veel zeggen, ik wil u ontmoeten, ik wil met u praten.'

Een lach klonk in zijn oor. 'Meneer, ik heb totaal geen belangstelling.' En tuuttuut klonk in zijn oor.

Jurrien staarde naar Eveline. 'Dit was Betty!! Het was Betty!!'

'En jij was zo verbaasd dat je het gesprek hebt laten mislukken! Naar wie ben je op zoek? Wie hoop je aan de lijn te krijgen? O ja, Betty Blokker!' Eveline riep het in grote spanning hikkend. Ze voegde eraan toe: 'Maar ik begrijp het wel. Jongen, Jurrien, je hebt haar gevonden! Je hebt haar stem gehoord!' En hij schreeuwde terug: 'Het is mijn moeder...'

'Ik wil haar niet via de telefoon plompverloren zeggen wie ik ben.'

'Daarin heb je gelijk. We zullen er weer opuit moeten. Het is een hele rit naar de Achterhoek, maar we moeten gaan.'

'Ja. Voor het huis stoppen. Haar zien, lieverd... Ik tril nog steeds van top tot teen. Ik heb haar stem gehoord. Een vriendelijke stem. Maar door mijn gestuntel werd ze argwanend. Ze dacht kennelijk aan iemand van een verzekeringsmaatschappij, een boekenclub of iemand die haar een lening wilde aanpraten. We moeten zo snel mogelijk naar Lodem.'

'Ik bel mijn ouders om dit grote nieuws te vertellen. En om te vragen of de kinderen dan bij hen kunnen komen.

Ze toetste het nummer in.

'Met Martha Welkers.' Op de achtergrond klonk de stem van een opgewonden man, haar ouders keken kennelijk naar een spannende film.

'Mam, we hadden een nieuw adres, een nieuw telefoonnummer. Nu in Lodem. Ja, dat ligt volgens Jurrien in de Achterhoek. Hij heeft het nummer tien minuten geleden gedraaid en hij kreeg Betty Blokker aan de lijn!!'

Even een korte stilte, toen herhaalde Martha Welkers de woorden van haar dochter: 'Betty Blokker aan de lijn?! En hoe verder?'

'Jurrien had dat niet verwacht. En hij wil haar niet via de telefoon zeggen wie hij is, dat hij haar zoekt en haar nu dus gevonden heeft. Hij hakkelde wat, op van de zenuwen en Betty verbrak de verbinding.'

'Kind toch, ik sta ook te trillen op mijn benen.'

Het geluid op de achtergrond was weg. Vader Jan had het toestel uitgeschakeld.

'Lieverd, wat nu?'

'We willen er zo snel mogelijk heen, dat begrijp je wel.'

'Ja, dat begrijp ik heel goed. Wacht even, ik zeg papa wat er is gebeurd.'

Na een paar minuten weer de stem van haar moeder met de vraag: 'Wanneer gaan jullie?'

'Jurrien heeft voor vrijdagmorgen een belangrijke afspraak, die kan hij niet afzeggen. We willen vrijdagmiddag gaan. Als Gert het goed vindt. Maar wanneer Jurre vertelt wat er aan de hand is, zal Gert het zeker goed vinden dat hij een middag niet op de zaak is.'

'De kinderen kunnen natuurlijk hier komen, dat weet je wel. En reken erop dat het laat kan worden. Een ontmoeting met Betty... Ik ben heel nieuwsgierig hoe het gaat verlopen. Ik heb Betty in zoveel jaren niet gezien, mijn vriendinnetje van vroeger. En later. Tot dat gebeurde. Toen werd alles opeens anders. Ze zal veel te vertellen hebben.'

In het begin van de vrijdagmiddag, even voor één uur, reden ze weg.

Het werd een lange rit. Tegen drie uur reden ze het dorp Lodem binnen. Een prachtig dorp met veel groen, mooie huizen te midden van schitterende tuinen. Het was er zo rustig, zo stil, zo goed.

Na enig zoeken vonden ze de Wilhelminasingel.

'We doen het zoals in Tilburg. Jij gaat alleen naar de deur, je wenkt me als jullie elkaar begroet en gekust hebben.'

'Lieverd, ik ben zo nerveus! En ik ben zo bang.'

'Dat je nerveus bent begrijp ik, dat is normaal. Maar ik geloof niet dat je bang hoeft te zijn. En je hoeft niet bang te zijn dat ze je afwijst. Ze is beslist heel blij je te zien.'

Hij stapte uit de auto en liep langzaam over het trottoir naar de kleine voortuin. Hij zag een vrouw achter het raam staan. Ze keek naar hem. Nog voor hij op de bel had gedrukt werd de deur opengetrokken. Een blonde vrouw met grote, lichtblauwe ogen staarde hem aan. Haar mond ging open en ze riep, ze schreeuwde: 'Mijn jongen, jij bent mijn jongen!'

Jurrien sloeg zijn armen om haar heen, ze huilden beiden.

Eveline stapte uit de auto en liep naar het tweetal toe.

'Mijn vrouw,' stamelde Jurrien snikkend, 'dit is mijn vrouw.'

Betty keek haar met iets van verbazing in de ogen aan.

'Ik ben Evelien. Ik ben de dochter van Jan Welkers en Martha Lamers.'

'Kind toch, je lijkt op Martha, Martha van vroeger! Ik zag de gelijkenis toen je naar ons toeliep. En Jurrien, jongen, ze hebben je Jurrien genoemd! De vader van Anton heette Jurrien, dat is zo. Dat weet ik nog. Kom gauw binnen. Mijn hemel, wat gebeurt hier, wie had hierop gerekend. Ik zeker niet! Ik weet niet wat ik moet denken en nog minder wat ik moet zeggen. Maar dat hindert niet. Dat komt wel weer.'

Een lach gleed over haar gezicht.

'Ik heb vaak aan je gedacht. Ik wilde terug naar de omgeving van Wansum. Misschien kon ik woonruimte vinden in Voorberg, een baan zoeken en stilletjes op zoek gaan naar jou. Naar je kijken, weten dat alles goed was.

Maar wat wij toen hebben gedaan, het besluit wat we namen, was strafbaar. Dat lag ons toen zwaar op het hart. Drie jonge meiden en een moeder die dit besluit als de enige goede oplossing zagen. Wet of geen wet. We beloofden elkaar plechtig nooit een woord te spreken over wat er in die donkere nacht na jouw geboorte was gebeurd. We beloofden elkaar ook nooit iets te doen wat een aanwijzing in die richting zou kunnen geven...'

Het werd een bijzondere avond.

Jurrien vertelde over de ziekte van moeder Marije. Dat ging goed, tot hij bij haar laatste wens kwam; hij kon niet verder praten. Hij was heel emotioneel, de gebeurtenissen van deze dag, hij keek steeds naar de vrouw die tegenover hem zat, zijn moeder, zijn echte moeder... Hij was uit haar geboren... Hij kende haar tot deze dag niet. Er waren zoveel gedachten en gevoelens in zijn hoofd. Hij knikte naar Eveline, stamelde: 'Vertel jij het.' En dat deed ze. Ze eindigde met de woorden: 'Na zoveel jaren werd het zwijgen dus verbroken.'

Betty knikte. 'Het zal moeilijk voor Martha zijn geweest het te vertellen. Ze zal de avond van het verbond in de kamer van ons huis aan het Kerkepad in Wansum opnieuw beleefd hebben. Ik gaf mijn kind weg. Mijn moeder vond het de beste oplossing. Marie zou de baby meenemen naar het huis van Anton en haar. Ze werd toen nog Marie genoemd. Pas later, toen het gezinnetje naar Voorberg verhuisde, wilde ze Marije genoemd worden. Niet meer de Marie van vroeger zijn.

Nu ik erover praat, denk ik: hoe durfden we dit te doen! Maar we zochten een oplossing voor de problemen. Mijn slechte naam en ik kon niet voor een baby zorgen. Moeder wilde me niet helpen, zij wilde haar vrijheid en daarnaast het verlangen van Anton en Marije naar een kind...

Voor jou, jongen, was het moeilijk die avond de waarheid te horen. Het was beslist een grote schok voor je te horen dat Anton en Marije niet je werkelijke ouders zijn. Maar het is goed dat uiteindelijk de waarheid is gekomen. Marije is met een gerust hart gestorven. Ik denk, kinderen van me, zo mag ik het toch zeggen,' Betty leunde ver naar voren in haar stoel, 'dat het haar wil is geweest Jurrien aan zijn moeder terug te geven.'

Eveline knikte. Zij geloofde dat ook. Haar moeder had hierover dezelfde woorden uitgesproken.

Betty vertelde haar geschiedenis.

'Ik weet niet of mijn moeder nog in Wansum woont, ook niet hoe het tussen Dirk Velzeboer en haar is gegaan. Ik weet zelfs niet of ze nog leeft! We hebben niets meer van elkaar gehoord.

Maar mijn moeder was geen slechte vrouw. Ze had altijd snel een men ng en die sprak ze snel uit; zo zag zij het, zo was het, maar ze zorgd goed voor Johanna en mij. Als kleine meisjes – "luisterend naar mama, dat wel"- hadden we een prettig leven. Ze schermde ons af van de boze buien van vader Jochem. Hij was vaak dronken. Het was een man die vond dat hij het slecht in het leven had getroffen. Dat was het noodlot. Hij was er onschuldig aan. Maar als hij anders had gehandeld had hij het zo slecht niet gehad.

Moeder Nel leefde in een klein kringetje. Haar terrein was het Kerkepad in Wansum. Om haar heen armoede en zorgen in alle gezinnen. De gesprekken gingen over die armoede, over de ruzies die eruit voortkwamen, want geloof me, het is moeilijk jaar in jaar uit elk dubbeltje te moeten omkeren voor je het uitgeeft. Er was nooit wat wij nu "een extraatje"noemen.

Toen moeder hoorde van de zwangerschap stelde ze meteen vast dat mevrouw Van Berkel mij de schuld van het gebeuren had gegeven. De zoon van rijke mensen werd altijd verleid door het arme meisje! Maar zo was het in dit geval beslist niet. Mevrouw Van Berkel gaf mij niet de schuld en Boudewijn ook niet. Ze constateerde alleen onze groeiende genegenheid voor elkaar en ze wist dat het tussen ons niets kon worden. We moesten zo snel mogelijk uit elkaar worden gehaald. Dat was niet moeilijk. Ik verliet met extra geld in mijn beursje de villa. Toen dat gebeurde wist ik niet van de zwangerschap. Ik was te onnozel om daaraan te denken. Ik wist wel van "kindertjes krijgen", maar moeder had me niet over het juiste "hoe dat gebeurde" verteld. Boudewijn en ik hadden wel gemeenschap gehad, zoals dat zo mooi heet, twee keer. Twee keer, zo'n vaart zou dat toch niet lopen... Maar zo'n vaart liep het wel.

Thuis brak de hel los. Moeder nam meteen, zoals gewoonlijk, het heft stevig in handen. Ze wilde geen abortus. Dat wilde ik ook niet. Ze wilde geen adoptie. Er moest iets gebeuren waardoor ik weer vrij kon zijn en het kind een goed ouderpaar kreeg. En die mogelijkheid was er. Zo is het ook gebeurd, dat weten jullie inmiddels. Maar ik wil het, deze bijzondere avond, toch vertellen.

Na die nacht wilde ik weg uit ons huis en weg uit Wansum. Mijn moeder vond het ook het beste dat wij niet langer samen a n het Kerkepad woonden. Bovendien had ze vriendschap gesloten met Dirk Velzeboer. Een aardige man, die vriendelijk tegen haar was. Dat was ze niet gewend. Ze genoot ervan. Dirk werd compleet buiten "het geheim" gehouden. Dat was ook het beste.

Ik kocht een Telegraaf en las alle advertenties over huishoudelijke hulp. Op drie ervan heb ik geschreven. Ik heb die drie families bezocht. Alleen bij de familie Van Wagtendonk in Tilburg kon ik intern komen. Dat heb ik gedaan. Er was geen andere mogelijkheid. Ik had het daar goed, maar ik was erg onrustig, zo alleen, zo bang ook. Ik was nog jong, weinig ervaring in het leven. Ik wilde weg uit Tilburg. Ik ben naar Leiden gegaan. Hoe ik aan dat adres kwam weet ik niet meer. Het waren aardige mensen. In Leiden ontmoette ik Joop Valentijn. Ik dwaalde op een middag in het centrum van de stad en keek naar de etalages. Joop Valentijn kwam naast me staan voor een winkelruit. Hij praatte tegen me. Vroeg wat ik een mooi servies vond. In het algemeen was ik, na Boudewijn een beetje bang voor jongens. Vooral voor de jongens die ik bij de familie in Tilburg en nu bij de familie in Leiden ontmoette. Dat "slag" hoorde niet bij mij, daarvoor moest ik oppassen. Hun liefdesbetuigingen waren levensgevaarlijk. Ze streelden en kusten, je zweefde weg op gevoelens van geluk en zaligheid, maar als gebeurde wat mij gebeurde kwam het oordeel: jullie passen niet bij elkaar. Dan scheurden de dromen stuk.

Joop Valentijn was een gewone jongen. Hij kwam uit de streek rond het dorp Lodem. We maakten een afspraakje en nog een afspraakje en er groeide iets tussen Joop en mij. Hij vroeg me mee te gaan naar zijn ouders. Zijn vader had een eigen bedrijfje. Op het gebied van akkerbouw. Ze teelden aardappelen, groenten, pompoenen en nog meer van dat spul. Maar bij de eerste binnenkomst in hun huis wist ik dat ik niet op steun en nog minder op liefde van zijn ouders hoefde te rekenen. Strakke, stuurse gezichten en weinig woorden. Joop zei dat ik alleen met hem te maken had. Hij zocht een huisje, hij kende iemand die huizen verhuurde. Er kwam ook snel een huisje voor ons. Ik ging daar wonen; hoe eerder ik uit het huis van zijn ouders kon vertrekken, hoe liever het me was. Het werd ingericht met gekregen spulletjes van familieleden, ook de kerk had nog dingen in opslag, bedoeld voor de verkoop.

Maar van een trouwdag is het niet gekomen, want de ouders van Joop hebben net zo lang op hem ingepraat tot hij onze relatie afbrak. Maar ik woonde in het huis en de huiseigenaar zei dat ik er kon blijven wonen. Ik werk in een aparte, bijzondere winkel, "De Papaver" in Winterswijk. We verkopen prachtige sieraden, mooie kleding, tassen, snuisterijen, sjaals, schoenen, hebbedingetjes; noem maar op. Ik ga elke werkdag met de bus heen en weer. Het bevalt me goed. Ik ben tevreden met mijn loon, ik krijg een extraatje van mevrouw Hogendoorn als we een goede week hebben gedraaid. Langzaamaan heb ik mijn huis ingericht naar wat ik leuk en mooi vond. Ik kan de huur betalen, ik heb een gezellige werkkring, ik heb een rustig leventje.'

'Geen man meer in uw leven?' vroeg Eveline lachend.

'Nee. Ik heb geen hekel aan mannen, dat moet je niet denken. Maar deze vrijheid bevalt me goed. En echt eenzaam ben ik niet. Ik heb leuke vriendinnen, we maken reisjes en als er iets in het dorp of in de omgeving te beleven is gaan we er opaf.'

Heel laat in de nacht namen ze afscheid van Betty Blokker met omhelzingen en warme kussen.

'We vertellen de familie dat we je gevonden hebben,' zei Jurrien, 'we halen je zo snel mogelijk voor een weekend naar Voorberg.' Hij praatte te snel en te opgewonden, hij wilde dat alles zeggen tegen haar, tegen zijn moeder. 'Je moet je kleinkinderen zien. Tonnie en Marthy. Ze zijn te jong om te beseffen dat de dood betekent dat je elkaar nooit meer zult ontmoeten. Tonnie vraagt vaak naar oma Marije. Hij wil naar haar toe, hij vraagt waar ze is. We kunnen het hem niet uitleggen. Je zult Martha weer zien. Met haar praten, met haar lachen, herinneringen ophalen. Ook haar man, hun zoon Hans en zijn vrouw. En mijn zus Marit en haar man Joris. Ik praat met vader Anton over onze zoektocht. Hij heeft het heel moeilijk met het verlies van moeder Marije. Sinds hij weet van haar laatste wens is hij, zo voel ik het, bang dat tussen hem en mij en Eveline verwijdering zal groeien. Niet omdat we, nu we de waarheid weten, ons van hem zullen afkeren, dat gebeurt natuurlijk niet, dat weet hij ook, hij kent ons goed genoeg. Maar gevoelsmatig is mijn vader bang voor een verwijdering. Omdat het niet meer "echt" tussen ons is. Maar zo voel ik het beslist niet. Toen ik klein was noemde ik hem papa, later was hij pap. Hij is gewoon mijn vader.'

Ze reden in de donkere nacht uit het dorp Lodem. Bijna drie uur rijden voor de boeg.

'We meten blijven praten,' stelde Eveline vast. 'We zijn allebei moe, het was een avond vol spanning en emotie. Maar je moet wakker blijven. En alert zijn op het verkeer. Het is stil op de weg, de meeste mensen slapen in hun warme bed, maar er kan een rappe rijder komen die snel thuis wil zijn.'

Jurrien glimlachte. 'Goed, we blijven praten. Hoe vind jij dat mama Betty eruit ziet?'

De volgende morgen kwamen Jan en Martha met de kinderen. De kleintjes begroetten papa en mama of ze een wekenlange logeerpartij achter de rug hadden. Eveline dacht: ze voelen de spanning. Dat was bij Tonnie gistermiddag al merkbaar toen ze de twee bij hun grootouders brachten. Tonnie wist niet wat er aan de hand was, maar dát er iets te gebeuren stond voelde hij.

Ze vertelden over de voorbije middag en avond. Martha en Jan Welkers luisterden. Martha vroeg: 'Hoe ziet Betty eruit?'

'Een knappe, blonde vrouw met mooie, lichtblauwe ogen.'

'Betty was vroeger al een leuke meid en niet alleen om te zien. Ze had vaak grappige uitspraken en ze bedacht bijzondere plannetjes. Zo te horen heeft ze zich redelijk goed door alle moeilijkheden heengevochten. Het is jammer dat de relatie tussen die Valentijn en haar geen happy-end heeft gekregen. Ze moet zich eenzaam in haar huis voelen. Maar ach, ze werkt in een leuke winkel waar ze veel vrouwen ontmoet, de vijf dagen per week die ze daar doorbrengt zullen snel voorbij gaan. Dan heeft ze nog twee dagen voor zichzelf en het huis.' Eveline lachte naar haar moeder. Ja mam, zo passen de dagen van Betty Blokker in elkaar...

De koffie werd ingeschonken en opgedronken, de glazen wijn en frisdrank kwamen op tafel; Eveline zorgde voor toastjes en hapjes; de wijzers van de klok draaiden door.

Toen Jan en Martha even na vier uur vertrokken zei Jurrien: 'Ik was van plan deze middag naar mijn vader te gaan. Hij weet dat we de verblijfplaats van Betty Blokker zoeken. Ik moet hem over onze ontmoeting met haar vertellen. Maar ik kan het nu echt niet. Ik ben moe van gisteravond en deze dag, alle woorden die over me heen zijn gekomen en alle gedachten, ik ...'

'Ik voel het precies zó,' viel Eveline hem in de reden, 'ga rustig zitten. Of liggen op de bank. Marthy doet een verlaat middagslaapje, Tonnie speelt met het treintje.'

Jurrien knikte. 'Ik ga vanavond naar hem toe.'

Even na acht uur trok hij zijn jack aan. Hij kuste Eveline en zei: 'Je helpt me zo goed, lieveling, dat wil ik tegen je zeggen, je staat naast me in deze dagen waarin zoveel gevoelens zijn.'

'Natuurlijk sta ik naast je. Het leven is spannend voor jou, maar ook voor mij.' Ze keek hem met een ondeugende blik in de ogen aan. 'Min of meer wordt Betty mijn schoonmoeder en zij zal erover waken dat haar zoon niets te kort komt.'

'Zo is het.' En met een onheilspellende klank in de woorden: 'Wacht maar af...'

Anton Beekman zat in de huiskamer. Hij had het televisietoestel niet aangezet. Er was geen enkel programma wat zijn aandacht zou kunnen vasthouden. Jurrien had gistermorgen gebeld: "We gaan naar Lodem."

"Lodem, waar ligt dat? In het noorden van Groningen?"

"Nee, in de Achterhoek."

"Een mooi eind weg."

"Ja. Maar we komen er wel."

"Natuurlijk komen jullie er. Als je benzine in je tank hebt en je handen aan het stuur houdt."

Nu wachtte hij op Jurrien. Hij keek naar de foto van Marije. Jij hebt dit gewild, lieveling, jij hebt dit losgemaakt. Je had er je redenen voor. Maar het brengt mij veel onrust. Ik ben erg alleen. Het zal erger worden als Jurrien en Eveline niet meer zo dikwijls langs komen. Maar het is goed dat de jongen nu de waarheid weet...

Hij hoorde dat een fiets tegen de voorpui werd gezet. Gelukkig; Jurrien kwam.

'Hallo pap! Ik heb groot nieuws! We hebben Betty Blokker gevonden! Het adres, dat we vanuit Leiden kregen, is het juiste adres! Betty Blokker woont al jarenlang in Lodem!!'

Hij wist dat hij alles overdreven luid opnoemde, maar hij kon het niet op een andere manier doen. De spanning in zijn lijf was te groot, hij had het gevoel dat zijn keel werd dichtgeknepen als hij zachter praatte.

'Ga zitten. Het moet een wonderlijk gebeuren voor je zijn geweest opeens tegenover je biologische moeder te staan. Jullie hebben elkaar nooit gezien. Betty leefde zonder jou en jij was gelukkig in ons gezin.' Hij wilde het toch even zeggen.

'Dat is zo.'

'De dag waarop de waarheid gezegd moest worden heb ik me afgevraagd of het echt nodig was. Jij heet Jurrien Beekman, die naam kun je niet meer veranderen. En waarom zou je dat ook doen? Het is een goede naam. De naam van je biologische vader zal je nooit krijgen. En welk voordeel zou die naam je brengen? Je hebt het goed. Mama en ik hebben je de opleiding laten volgen die je graag wilde volgen. Je hebt werk waarin je je thuis voelt. Je hebt een lieve vrouw en twee heerlijke kinderen. Die zijn van jou, jij hebt ze verwekt. Ik was ook vader van twee kinderen. Ik was dolgelukkig met jullie. Jouw komst naar ons huis is op een bijzondere manier tot stand gekomen. Een besluit van Nel Blokker. Marije en ik verlangden naar een kind. Toen de keuze aan ons werd voorgelegd – de baby gaat naar het nonnenklooster of de baby komt bij jullie – was de keus niet moeilijk. Maar rond het gebeuren was een groot gevaar verborgen.

Marit kwam bij ons nadat mijn broer en zijn vrouw waren verongelukt. We "kregen" Marit. Zo heb ik het altijd gevoeld, maar er lag een zwarte rand van tranen omheen.

Alles ging goed. Met jou en met Marit. Mama heeft daar verandering in gebracht. Ik heb haar gevraagd waarom ze dit wilde. Dacht ze er wel aan wat kapot gemaakt kon worden in de relaties van de mensen die het aanging? Ze antwoordde dat alleen de waarheid goed kon zijn.'

Anton Beekman keek zijn zoon aan.

'Ze is gestorven. Ze heeft afscheid van het leven genomen. Ze is bij mij weggegaan, ze heeft jullie verlaten. Ik zeg dit niet omdat ik medelijden heb met mezelf, maar de verandering die nu komt brengt mij eenzaamheid. Jij hebt een lieve moeder verloren, maar je krijgt een "eigen" moeder terug.'

'Ik denk, pap, dat je het niet goed ziet. Je bent mijn vader en je blijft mijn vader. We hebben veel fijne herinneringen, die worden niet uitgewist. En Betty,' hij wilde dit gesprek in een andere richting sturen, zijn vader was depressief, voelde zich alleen, hij miste moeder Marije en er was nog geen tijd geweest om het verdriet te verzachten, 'Betty heeft veel doorgemaakt sinds ze uit Wansum is weggegaan...' Hij vertelde haar verhaal.

Anton Beekman luisterde. Toen Jurrien zweeg zei hij: 'Het was een gezellige meid. Het leven heeft haar zwaar gestraft. Ze raakte haar moeder kwijt en haar kind, haar zus en haar omgeving. Alles werd vreemd en leeg om haar heen. En ze was nog zo jong. Het leven is dikwijls onrechtvaardig. Ik denk veel over al deze gebeurtenissen na. Zo 's avonds, alleen in mijn stoel in de kamer. Zonder televisie, zonder radio. Het is geleuter wat me niet interesseert. Lachen om flauwe grappen. En eindeloos debatteren. De één is voor, de ander is tegen. Ik verdiep me in de dingen die rond ons gebeuren en in de gevolgen die weer gevolgen hebben... Zoals mama's besluit gevolgen heeft voor Betty en voor jou. Jullie hebben elkaar gevonden. Dat is heel bijzonder, na zoveel jaren. Maar ik, jongen, ja, je hebt gelijk, ik ben inderdaad depressief. In Wansum noemt men dat "hij zit in de put". Ik heb angst voor de toekomst. Ik heb mijn werk nog en daar ben ik blij mee. De directie is heel coulant tegenover me. Als er en dag is waarop het niet gaat, kan ik thuis blijven. Maar in een stil huis krijg je geen antwoord op je vragen.'

11

MARTHA WELKERS STOND VOOR HET RAAM IN HET HUIS AAN HET VAN Amerongenplein toen Jurrien de auto voor de woning tot stoppen bracht.

Ze zag het gezicht van Betty achter het glas van het voorportier. Het blonde haar, golvend, een krulletje bij het rechteroor. Toen Betty jong was had ze al golvend haar en vaak groeide een krulletje bij haar rechteroor. Maar Martha wist ook het gezicht van 'die avond'. Wallen onder de ogen, de wangen nat van tranen. Het beeld van die avond was door de jaren heen in haar herinnering blijven hangen. Nu had Betty's gezicht een blije uitdrukking en er straalde nieuwsgierigheid vanaf.

Martha zag een vrouw van even in de vijftig uit de auto stappen. Bety was iets ronder geworden, maar ze was nog dezelfde Betty. Eveline had inmiddels de voordeur geopend en Betty begroet. Ze schoof haar voor zich uit de kamer in. Daar zaten Jan Welkers en Anton Beekman, Hans en Erna, Marit en Joris. Martha liep door de kamer naar Betty toe. Ze kropen weg in elkaars armen en de anderen keken toe en zwegen. Ze vingen woorden op uit het gesprek. 'We waren erg bang. En die angst was beslist niet onterecht. Ik had de geboorte van mijn kind door mijn moeder moeten laten aangeven op het gemeentehuis. Ik was strafbaar omdat ik het niet deed. En als er iemand was geweest die hierover praatte; wat was er dan gebeurd? En Anton mocht de baby niet als zijn zoon aangeven. Achternaam: Beekman... Mijn moeder was bang dat we onze monden niet dicht zouden kunnen houden. Ze zei: "Denk erom, als de politie dit aan de weet komt pakken ze ons heftig aan. Ze nemen arme mensen steviger te grazen dan lui met geld." Ik hoor nog haar stem toen ze dit zei.'

Betty had er nu een wrange glimlach voor. Ze stonden dicht bij elkaar in de kamer. Eveline beduidde de anderen 'laat ze maar even' en zij vonden ook, ja, laat ze maar even... Vriendinnen van vroeger, lang uit elkaar geweest, maar elkaar niet vergeten.

'Het had niet zo lang moeten duren voor wij elkaar weer zagen,' zei Martha, 'maar de afspraak was gemaakt. Moeder Nel heeft gezegd: "Het beste is elkaar niet te zien en niet te spreken. Iedereen vindt zijn eigen weg."'

'Dat is ook gebeurd.' Betty knikte bij deze woorden. 'En ik wilde niet in het leven van Anton, Marije en hun zoon komen. Maar ik ben blij dat het is gegaan zoals het is gegaan. Ik vind het vreselijk dat Marije zo ziek is geweest en dat ze is gestorven. Ik heb haar na die avond niet meer gezien. Maar wat ze gedaan heeft is goed geweest. In elk geval voor mij. Mijn kleine baby'tje is een grote, fijne vent geworden. Ik zie hem, ik praat met hem. En ik zie dat hij gelukkig is met Eveline en met twee lieve kinderen.'

De gesprekken kwamen moeilijk op gang. Het was ook een vreemde en nieuwe situatie Betty in hun midden te hebben. Maar gaandeweg de avond werd het praten gemakkelijker. Er was ook ontzettend veel te vertellen. Het eigenlijke onderwerp, "de nacht van toen", werd niet aangeroerd. Er waren vragen genoeg te stellen over de werkzaamheden van de jonge mensen, hun woningen en hun plannen. Er werd gelachen, er werd gedronken en gegeten.

Betty ging naast Anton zitten. 'Jij bent de vader van Jurrien.' Anton knikte. Hij was heel nerveus. Praten met de echte moeder van de jongen was moeilijk. 'Vind je het naar dat we hem, ondanks wat we wisten, naar mijn vader hebben genoemd? Mijn ouders wisten dat ik nooit een kind zou kunnen verwekken. Ik vertelde mijn moeder, toen de afspraken rond waren, zo zeg ik het even, wat ging gebeuren. Da we de baby van een ongehuwde moeder kregen. Ik noemde geen naam en mijn moeder vroeg niets. Ze begreep uit mijn woorden dat er een geheim achter zat. Mijn ouders hebben in de familie niets gezegd. En de familie verwachtte niet anders dan dat onze zoon naar mijn vader vernoemd zou worden. Daarom hebben we het gedaan. Het bracht geen argwaan. Er kwamen geen vragen.'

'Het is goed, Anton, het is een fijne jongen geworden. Je kunt trots op hem zijn. Het is jammer dat ik veel jaren van hem heb gemist, maar zo kan het in het leven gaan. Als de ouders van Joop Valentijn mij niet zo heftig hadden afgestoten waren Joop en ik mogelijk de ouders van een paar kinderen geworden. Maar dat is niet gebeurd. Achterom kijken en denken "het had kunnen zijn" heeft geen zin. Het maakt je alleen verdrietig. Ik kijk vooruit. Ik heb Jurrien nu om me heen, zijn vrouw, zijn kinderen, Martha, Jan en jou en iedereen hier is lief voor me; ik maak geen plannen.'

'Er zijn veel foto's uit de kinderjaren van Marit en Jurrien. Toen ik hoorde van deze ontwikkeling, ik wil bijna zeggen "deze openbaring" heb ik een dik fotoalbum gekocht. Daarin hechtte ik de kiekjes van Jurrien uit zijn kinderjaren. Jurrien in de kinderstoel, Jurrien in de box, Jurrien op zijn fietsje en zo verder. Met de opmerkingen die Marije en ik destijds op de achterkant van de foto hebben geschreven.'

'Heerlijk, Anton, daar ben ik heel blij mee.' Ze legde even haar hand op zijn arm.

Hij vroeg: 'Heb je plannen in Lodem te blijven wonen?'

'Daarover heb ik nog niet nagedacht. Maar als ik jullie om me heen zie,' ze kek de kring rond, vriendelijk gezichten, 'heb ik hier meer echte contacten dan in Lodem. Ik zou bij vertrek mijn vriendinnen missen, maar die vriendschappen zijn gebouwd op niet alleen-zijn van elk van ons. Als we bij elkaar komen, als we ergens heen gaan zijn we geen van drieën alleen. Dat is een andere achtergrond dan wat ik hier vind. Hier is vriendschap met een achtergrond, meer inhoud, meer gevoelens... Voor mij althans... Van jullie naar mij toe. Ik zal mijn baan wel missen. Want het werk in "De Papaver" doe ik met veel plezier.'

Jurrien en Eveline hadden haar voorgesteld haar in elk geval in deze beginperiode met Betty aan te spreken. Om het voor Anton niet moeilijker te maken dan het al was. Iedereen was aanwezig, maar zijn Marije niet.

'Ik wil hier even op in gaan, maar Betty, begrijp me alsjeblieft niet verkeerd. Er zit absoluut niets achter. Maar als je graag snel naar Voorberg wilt komen om dicht bij alle mensen hier te zijn, kun je bij mij wonen tot je een woning hebt gevonden. Dat gaat ook in Voorberg niet zo gemakkelijk. Ik heb een groot huis. Er is, op de bovenverdieping, een prachtige woonkamer voor je, een slaapkamer en een kleine badkamer. Ik woon en slaap beneden.'

'Anton, wat lief van je! En ik moet eerlijk zeggen dat ik het gevoel heb dat na deze dagen het leven, alleen in Lodem, me zal tegenvallen. Ik weet dat ik Jurrien en Eveline niet elke dag om me heen zal hebben, maar Martha is er wel. We speelden als kleine meisjes met elkaar. We leefden in ons eigen wereldje. Van de armoede en zorgen om ons heen wisten we niets.'

Anton wilde nog iets zeggen over zijn voorstel. 'Je bent helemaal vrij om te beslissen wat je doet, Betty, dat weet je wel.Ik zeg alleen dat de mogelijkheid er is.'

Heel laat in de avond vertrokken de gasten. Betty reed met Martha en Jan mee, ze logeerde bij hen.

'Dat wordt nog wel een uurtje babbelen,' verwachtte Jan bij het aantrekken van de jassen, 'maar ík duik het bed in! Ik moet om half negen present zijn achter mijn bureau.'

Toen de voordeur voor de laatste maal was dichtgegaan liet Eveline zich op de bank vallen. Schoenen uit, gestrekte benen.

'Alles is goed verlopen. Ik voelde af en toe een vreemde spanning om ons heen.'

'Die spanning was er ook. De sfeer van "wat gebeurt hier", van verbazing en nog niet alles goed begrijpen. Ik meende soms de gedachten van onze mensen te kunnen lezen. En de vragen die in hun hoofden speelden.

Ik wil Betty en mijn vader even loslaten. Het is begrijpelijk dat zij met heel veel indrukken zaten, maar dat was ook bij de anderen voelbaar. Moeder Martha, vader Jan; Hans keek af en toe alsof hij naar een toneelstuk keek en dacht: "Ik ben de draad van het verhaal een kwijt." En dan Joris en Marit,' Jurrien lachte, 'Joris kennende

weet ik vrijwel zeker dat tussen hen de complete tragedie is ontleed.'
Eveline knikte instemmend. Toen zei ze: 'Naar drie mensen moet
nog gezocht worden. Jouw echte vader, moeder Nel en Johanna.'
'Ja. Jouw moeder en mijn moeder, hoe klinkt dit, kunnen naar
Wansum gaan en informatie inwinnen over Nel Blokker. Waar-
schijnlijk kunnen ze daar ook meer aan de weet komen over Jo-
hanna.
Naar mijn biologische vader gaan wij zelf op pad. Ik heb al in het
telefoonboek gekeken, maar daarin komt de naam Van Berkel niet
voor.'
'Dan onze onderhand vertrouwde tactiek maar hanteren. Aanbellen
en vragen.'
'Ja, maatje van me, zo zetten wij speurders de eerste stap!'
De volgende middag belde Eveliens moeder.
'Meisje, hoe is het? Ben je bekomen van de schrik zoveel mensen
over de vloer te hebben?'
'Dat "over de vloer hebben" was het ergste niet. Wel omklemde me
af en toe de onuitgesproken vragen die om me heen zweefden, het
gevoel van spanning. Maar na een nachtje slapen is dat afgedreven.
Tonnie met zijn gebabbel en Marthy met pogingen daartoe, brengt
je terug in de werkelijkheid van alle dag! Hoe gaat het met Betty?'
'Goed. Ik kon vannacht niet slapen, ik dacht opeens – ik heb het
gevoel dat Betty allang met het weten rondliep "op een dag komt de
oplossing, dan breekt alles open." Ik vroeg me af of ze daarin geloofd
heeft en een stapje verder, daarop heeft vertrouwd. Nu is het eindelijk zo ver. Ze is gelukkig. In de allereerste plaats met Jurrien
natuurlijk, maar ook met jou en de kinderen en ze is blij mij weer
om zich heen te hebben.'
'Ze is dus erg blij,' stelde Eveline lachend vast.
'Ja. Maar ik bel niet om over haar blijheid te vertellen. Ik bel omdat
Betty en ik van plan zijn morgenmiddag naar ons dorp te rijden. De
auto op het plein bij de kerk te zetten en over het Kerkepad lopen
om te zien of daar nog iets van vroeger te vinden is. Ik ben bang dat

we er niets zullen vinden. Wellicht zijn de huizen afgebroken; ze waren toen al te klein en te oud, maar misschien ook zijn ze verbouwd. En ontmoetten we nog oude bewoners. Onze hoop is gevestigd op Klaas van Jannetje de Vries. Mogelijk weet een zoon of dochter van één van de bewoners van toen iets.'

'Vragen, mam, van vragen word je wijs.'

'Dat zullen we ook doen. En morgenavond komen we met z'n drietjes bij jullie om verslag uit te brengen. Als we op tijd terug zijn uit Wansum staan we vroeg op de stoep omdat Betty Tonnie en Marthy graag wil zien.'

'Ik houd ze tot half acht wakker met slaapliedjes.'

De volgende avond tegen zeven uur kwamen de drie. Tonnie had op school verteld over oma Betty en hij had een mooie tekening voor haar gemaakt, Marthy lachte alleen maar lief.

Later vertelde Betty: 'Wij hebben inlichtingen over mijn moeder. Ze is destijds met Dirk Velzeboer naar Wallinga vertrokken. Jawel, dat was het plan. Ze is nu opgenomen in het verzorgingstehuis in Zandvliet. Volgens de vrouw van de kruidenier weet ze het verschil tussen "nu en morgen" niet meer en ook niet tussen "waar en niet waar". Zo zei die vrouw het. Het zegt genoeg. We zullen haar zo spoedig mogelijk opzoeken. Over Johanna wist men te vertellen dat ze met haar man Jaap Houtman naar Zaandam is gegaan. Waarom naar Zaandam? Dat moeten we aan Johanna vragen.'

'Toch weer een stap verder,' meende Jurrien en Betty knikte. 'Ik wil graag met mijn moeder praten, maar ik weet niet of het zal lukken. Alle gebeurtenissen volgden elkaar destijds zo snel op. Het ging zo overhaast, het had anders gekund. En ik had, één of twee jaar nadat ik naar Tilburg was vertrokken, contact met mijn moeder moeten opnemen. Het gevaar waarvoor we vreesden was afgewend. Maar ik was, toen ik tot rust was gekomen, boos op haar omdat ze het zo had aangepakt. Had ik mijn kind toen willen houden? Nee! Toen het drama speelde beslist niet. De sloerie van het Kerkepad. Geen vriend, geen man die me aankeek, wat moest ik met een kind? Maar een jaar na die vreselijke weken besefte ik dat ik me druk had gemaakt over zaken die eigenlijk niet belangrijk waren. Want was het belangrijk dat er lelijke dingen over me werden gezegd? En was wat ik gedaan had zo slecht? Verliefd worden en vrijen? Nee toch? Maar moeder praatte het me aan. Ik was zeventien, ik kon in die dagen niet nuchter denken en mijn moeder wist toch alles?'

Na een korte stilte vroeg Betty: 'En jullie?' Ze keek van Jurrien naar Eveline, 'zoeken jullie verder?'

'Ja. Maar ik wil het discreet doen. Ik ben getrouwd, ik ben gelukkig. Als Boudewijn van Berkel ook getrouwd is en gelukkig, willen we een weg zoeken die geen schade aanricht in zijn huwelijk. Hij wist niet van je zwangerschap, hij heeft je niet afgeschreven, hij heeft je niet in de steek gelaten.'

Betty knikte. Zo was het.

Op één van de volgende namiddagen reden Jurrien en Eveline naar Wansum.

Langzaam door de dorpsstraat, langs de kerk en het pleintje. Stoppen bij een zijweg, goed kijken en zo vonden ze snel de tot prachtige woning omgebouwde pastorie.

'Ga maar mee naar de voordeur,' stelde Jurrien voor, 'door ervaring met dit soort benaderingen weet ik dat een jonge vrouw naast me vertrouwen wekt.'

Na het bellen verscheen een man van tegen de zestig in de deuropening. Jurrien vroeg of hij wist waarheen de familie van Berkel, die vroeger in dit huis woonde, verhuisd was.

'Ze zijn naar de kust vertrokken. Een huis vlak achter de duinen. Dicht bij de zee. In het noorden van Noord-Holland. Hoe heten de dorpen daar? Petten, Callantsoog. Nee, het is... even denken... iets dat "Een grote keet" heet. Daar is het vlakbij. Maar dit is een bericht van hen aan ons van meer dan twintig jaar geleden. U moet niet boos naar hier terugkeren als het niet juist blijkt te zijn. Dan is het echtpaar Van Berkel waarschijnlijk weer uit Callantsoog vertrokken.' De man lachte, hij vond zichzelf grappig. 'Te veelzand, te veel wind, het gebulder van de golven... Je kunt ernaar verlangen, maar het kan opeens teveel worden.'

Ze bedankten hem voor zijn hulp en reden terug naar Voorberg. 'Ik pak morgen op de zaak de telefoongids van Noord-Holland Noord uit de kast. Eerst de naam Van Berkel in Callantsoog zoeken, als de naam er niet in voorkomt stap ik over naar Grote Keeten. Zo heet dat dorpje. Als we iets weten rijden we zaterdagmiddag naar de kust.'

Eveline zat lui in de stoel naast hem. 'Dat is goed,' zei ze alleen. Ze dacht over het bezoek aan de ouders van Boudewijn, want, dat had ze van de man in Wansum begrepen en zo moest het ook zijn wat het aantal jaren betrof, de mensen die in Grote Keeten woonden waren de ouders van Boudewijn. Betty's "mevrouw en meneer" van toen. Ze hadden zich na jaren van hard werken, altijd druk, veel aan het hoofd, teruggetrokken in een knusse bungalow achter de duinen. Eindelijk lekker ontspannen leven, dichtbij de ruisende zee. Die mensen moesten inmiddels toch in de zeventig zijn. Ze hadden waarschijnlijk de leiding van de modewinkels aan Boudewijn en zijn vrouw overgedragen. Hij zou een vrouw hebben gekozen waarvan hij hield; voor veel zakenmensen telde mee dat het prettig was een vrouw naast zich te hebben die hun compagnon wilde zijn. Vooral in deze branche, de mode, was dat belangrijk. Als het een bedrijf was dat tractoren verkocht of landbouwmachines lag het anders.

De wagen gleed over de rijbaan. Ze soesde een beetje weg. Opeens vroeg ze zich af met welke vraag Jurrien bij die mensen aan de bel wilde trekken. Kon hij zeggen: ik zoek uw zoon. Hij heeft jaren geleden een dienstmeisje, dat bij u in huis woonde, zwanger gemaakt... Ze zouden hem vreemd aankijken. Ze wisten van niets!!

'Als we het adres vinden, wat zeg je dan tegen de man of vrouw die de deur opendoet?'

Jurrien draaide zijn hoofd naar haar toe. 'Daar dacht ik juist over. Zeggen: uw zoon heeft vijfendertig jaar geleden een dienstmeisje zwanger gemaakt en ik ben het kind dat uit die zwangerschap is geboren... Jij dacht over hetzelfde. Daarover moeten we nadenken. Het is misschien het beste dat ik dit keer alleen naar het huis ga. Ik hoop dat meneer van Berkel de deur opent. Ik zeg dan dat ik op zoek ben naar Boudewijn van Berkel. Na hier en daar te hebben geïnformeerd kreeg ik dit adres in handen. Ik hoop dat u me verder kunt helpen.'

Eveline knikte. Dit was een goede oplossing. Ze zei nog: 'Stel dat die man iets van zichzelf of van zijn vrouw in jou herkent...'

'Het is mogelijk, maar volgens Betty lijk ik niet op Boudewijn.'

De volgende zaterdag reden ze naar de kust. Ze kwamen op de weg vlak achter de duinen. Julianadorp; het bordje Grote Keeten. Het was even zoeken, maar opeens stonden ze voor de bungalow, verscholen in de duinen. Een vriendelijk huis, de gordijnen ver opzij geschoven, planten in kleurige potten achter het brede voorraam.

'Parkeer de autozo dat ik de voordeur kan zien,' stel;de Eveline voor.

'Goed. Als men mij vraagt binnen te komen vertel ik dat mijn vrouw in de wagen zit en of zij met me mee mag. Ik wenk jou, je pakt je tasje, stapt uit en sluit de auto af.'

'Uw orders, meneer,' zei Eveline lachend.

Jurrien liep naar de bungalow.

Na zijn bellen werd de deur geopend door een oudere man in een beige manchesterbroek en een vest in verschillende kleuren bruin. Een vriendelijk gezicht met een nieuwsgierige blik.

'Goedemiddag,' begon Jurrien, 'u bent meneer Van Berkel?'

'Ja, dat ben ik inderdaad.'

'Mijn naam is Beekman. Ik ben op zoek naar Boudewijn van Berkel. Ik had weinig aanknopingspunten, maar iemand gaf me uw naam en adres.'

Hij zag tijdens zijn praten het gezicht van de man bleek wegtrekken, de blauwe ogen staarden hem in verbazing aan.

De man vroeg: 'Zoekt u hem zakelijk of privé?'
Jurrien gedachten gingen snel. Er is iets met die Boudewijn, misschien zit hij in de gevangenis, misschien iets van oplichting...
'Privé,' antwoordde hij.
'Komt u binnen.'
'Mijn vrouw...' begon Jurrien, maar de man liet hem niet uitspreken.
'Ik heb haar gezien. Laat haar maar komen.'
Jurrien wenkte Eveline. Hij voelde de onrust per minuut in zich groeien. Hier klopte iets niet. Maar deze meneer Van Berkel was kennelijk wel de vader van Boudewijn. Mogelijk was er een heftige ruzie geweest tussen ouders en zoon en Boudewijn was met een kwade kop vertrokken naar, denk wat, één van de Spaanse kusten. Zoeken jullie het maar uit met je jurkenwinkel; ik red me wel! Maar ze hoorden niets van hem. Kwamen deze jonge mensen met een bericht?
Ze zaten in de ruime kamer. Mevrouw Van Berkel was zojuist het huis binnen gekomen. Ze begroette hem vriendelijk.
'Ik was buiten bezig, onverwachts bezoek, mijn man heeft u binnen gelaten.' Ze schudde hen de hand. Ze liep naar een lege stoel.
'Tine, ga zitten. E is iets heel bijzonders aan de hand. Deze jonge mensen zijn op zoek naar Boudewijn.' Terwijl hij de woorden uitsprak zag Jurrien dat de man een lichte handbeweging maakte en ook uit de toon waarop hij zijn woorden uitsprak trok Jurrien de conclusie dat hij zijn vrouw een teken wilde geven. Waarschijnlijk bedoelde hij daarmee: niets zeggen, afwachten wat er komt.
Het gezicht van mevrouw Van Berkel kreeg een vaalbleke kleur. 'Op zoek naar Boudewijn?' herhaalde ze de woorden van haar man, ze keek hulpvragend naar hem.
'Ja. Ik wilde weten of het een vraag op zakelijk terrein is of een vraag die zich op privé-gebied begeeft...'
Ze knikte weer, maar ze vroeg niets. Eveline kreeg de indruk dat ze niet alleen hypernerveus was, maar ook bang.
'Het is waarschijnlijk het beste,' kwam Jurrien nu, 'mijn verhaal op

tafel te leggen. Ik vertel u wat er aan de hand is. Ik weet namelijk sinds kort dat ik niet de zoon ben van de man en vrouw die mij mijn naam hebben gegeven, Jurrien Beekman. Ik heb andere ouders. Mijn biologische vader heet Boudewijn van Berkel.' Nu moest hij doorpraten, hen geen kans geven iets te zeggen. 'Hij woonde jarenlang in Wansum. In het huis van zijn ouders werkte een meisje als hulp in de huishouding. Poetsen, wrijven, de wastafels schoonhouden.' Even een kleine afleiding. 'Tussen de zoon en het meisje groeide verliefdheid. Maar het was een onmogelijke liefde; ze pasten van afkomst en opleiding niet bij elkaar. Maar,' Jurrien glimlachte ondanks de strakke gezichten, 'daar houdt de liefde geen rekening mee!! Toen één van u beiden,' hij noemde expres mevrouw niet, 'achter hun prille relatie kwam werd er een einde aan gemaakt. Het meisje het huis uit, de jongen na een stevig gesprek over deze onmogelijke liefde terug naar zijn studeerkamer. Na enkele weken wist het meisje dat ze zwanger was.' Hij zweeg even, vervolgde dan: 'Ik ben het kind dat uit die zwangerschap is geboren. Ik ben nu vierendertig jaar. Ik heb een fijne jeugd gehad bij mijn pleegouders en ik ben gelukkig met mijn vrouw en onze kinderen. Maar nu ik weet wie mijn biologische moeder is wil ik ook weten wie mijn biologische vader is. Ik wil hem, al is het maar één maal, ontmoeten.'

De man zat ineengedoken in de stoel alsof hij ruw geslagen was maar de pijn niet wilde laten merken. Hij keek naar Jurrien alsof de woorden niet tot hem doordrongen. De vrouw hield haar handen gevouwen in haar schoot.

'Hoe heette dat meisje?' vroeg ze.

'Betty Blokker.'

De vrouw knikte. 'Ja, Betty Blokker. Ik weet het. En niet mijn man, maar ik heb gezien dat er contact was tussen die twee. En dat was natuurlijk, u zei het al, onmogelijk. Boudewijn studeerde, Betty had een paar jaar huishoudschool. Zij zou niet de geschikte vrouw voor onze zoon zijn. Ik ben op een avond, in een weekend, Boudewijn was thuis, naar beneden gegaan. Betty had een kamertje naast de keuken. Ik opende de deur en zag Betty met ontblote borsten op het bed. Boudewijn had snel een dekbed over zich heengetrokken. Ik weet niet hoe bloot hij was. Maar nu ik dit hoor is hij bloter geweest dan ik toen verwachtte. Ik heb met de kinderen gepraat. Ze waren allebei nog jong, ondanks de ernst waarmee ze bezig waren. Betty was zeventien, Boudewijn bijna twintig. Betty heeft de volgende morgen ons huis verlaten.'

'Jij hebt haar weggestuurd!!' riep de man opeens luid. In zijn gezicht klom een dieprood tot op zijn voorhoofd. 'Jij dacht er niet bij na wat er tussen die twee gebeurd kon zijn! Maar er lag een bloot meisje in het bed en Boudewijn was bij haar!!'

'Ik verwachtte niet dat zoiets tussen hen gebeurde. Ik dacht aan spelen en elkaar betasten. Het waren nog kinderen.'

'Maar wél kinderen die rijp genoeg waren om dit uit te halen!' De man was echt boos.

'Alstublieft, meneer Van Berkel,' kwam Eveline met rustige stem, 'windt u niet zo op! Alles is lang geleden gebeurd. Jurrien heeft gezegd dat hij een fijne jeugd heeft gehad. Hij is goed terecht gekomen. Maar, dat kunt u toch begrijpen, nu hij weet wat de werkelijkheid is wil hij graag, al is het maar één keer, zijn vader ontmoeten. Hij wil beslist geen plats in zijn leven innemen.

Mevrouw Van Berkel huilde zachtjes. 'Kinderen, dat zal niet gaan, onze Boudewijn is vijftien jaar geleden gestorven.'

Er viel een diepe stilte na haar woorden.

Jurrien was de eerste die weer een woord kon uitbrengen. 'Boudewijn is overleden... Uw zoon, wat verschrikkelijk voor u. U moest een kind afstaan aan de dood... Hij was mijn vader, maar ik zal hem nooit zien.'

'Nee, je zult hem nooit zien. Maar jij bent wel onze kleinzoon. Ik zeg niet dat je sprekend op hem lijkt, maar er zijn beslist trekken die bevestigen wat je ons vertelde. Ik wil je beter leren kennen. Je leven, je vrouw, je kinderen.' Het was mevrouw die deze woorden uitsprak.

Maar een luide stem riep: 'Wat mij betreft hoeft dit niet, Tine, het hoeft niet!!! Wij weten niets van deze jongeman en hij brengt voor mij ook geen binding of herinnering aan Boudewijn tot stand. Boudewijn heeft niet van hem geweten. Als hij wél van de zwangerschap had geweten was alles anders verlopen. Daarvan ben ik overtuigd. Je met deze jongen bemoeien haalt alleen verdriet terug! En het gaat juist, hier, in de bungalow, beter tussen ons.' De man stond op en liep de kamer uit.

Mevrouw Van Berkel praatte verder: 'Voor onze jongen stierf was mijn man een fijne kerel. Maar met het heengaan van Boudewijn verloor hij niet alleen zijn zoon, zijn enige kind, voor hem viel ook het levensdoel weg. Dat was het bedrijf groter en groter maken voor zijn zoon. Maar het had geen zin meer, er was geen opvolger. Ik begrijp mijn man. Er komen nu zoveel gevoelens op hem af, hij kan zijn verdriet niet kwijt. Sinds het vreselijke gebeuren reageert hij zijn frustraties op mij af. Ik ben ook de enige om hem heen. Hij wil vrijwel geen contacten.' Ze schudde langzaam haar hoofd. 'De familie, zijn familie en mijn familie, hebben zich terug getrokken. Omdat Henri dat wilde.

Boudewijn heeft in zijn leven weinig geluk gekend. Hij is driemaal bijna verloofd geweest. De dag voor het feest was vastgesteld, de ringen al uitgezocht. Wij hoopten zo op een gelukkig leven voor hem. Een vrouw naast zich die hem begreep en alles met hem wilde delen. Maar alle drie verlovingen zijn door de meisjes verbroken. Het begon elke keer heel enthousiast. "Mam, ik heb een meisje ontmoet dat bij me past. Ze is zoals ik mijn vrouw graag wil hebben." Maar na enige tijd ging het toch niet goed. Onze jongen was daar ongelukkig onder, maar ik ben ervan overtuigd dat hij er zelf schuldig aan is geweest. Het waren geen meisjes die hij zelf uitkoos. Henri bracht ze op zijn pad. Ik kan het niet goed onder woorden brengen. Het zijn gedachten, er spelen opeens zoveel emoties mee. Hij verwachtte te veel van ze, meer zachtheid, meer lief-zijn, maar het waren jongedames die wisten wat ze wilden en dat ook naar voren brachten en ernaar handelden. Ik denk dat dat de verwijderingen heeft gebracht. Boudewijn heeft me er nooit over verteld. Liefdesverdriet is een beladen verdriet.

Mijn man hoorde zojuist dat ik het meisje Blokker uit ons huis heb gezet. Ja, dat heb ik gedaan. Die twee jonge mensen konden niet met elkaar verder gaan. Vanaf nu gaat Henri voortborduren op het gegeven hoe alles verlopenzou zijn als Boudewijn met Betty was getrouwd. Dat dat niet is gebeurd is mijn schuld. Als je steeds dieper graaft heb ik het verdriet en de dood van Boudewijn op mijn geweten. Volgens Henri. En hij kan op iets als dit doorblijven zagen, het niet los laten. Maar op deze manier denk ik niet.

Henri is veranderd van een optimistische mens met veel plannen, alles liep goed in zijn leven, tot die vreselijke tijd waarin Boudewijn, ik moet de goede woorden vinden, tot Boudewijn geestelijk in elkaar zakte. Henri werd een cynicus. Hij heeft in de voorbije jaren zijn best gedaan over het verdriet heen te komen, aanvaarden, berusten, je kent die mooie woorden. Onze huisarts en onze dominee hebben ze vaak uitgesproken. Ook "je lot in de handen van de Heer leggen". Henri hoorde het aan, knikte "ja, ja" maar hij kan het niet waarmaken.

Nu we hier de dagen grotendeels met elkaar doorbrengen ben ik vaak het slachtoffer van dat cynisme. Ik begrijp hoe het in zijn denkwereld ronddraait. Er zijn ook in hem veel vragen geweest hoe het zo met Boudewijn kon gaan en hij voelde zich schuldig. Hij had de jongen meer moeten helpen en steunen, maar daarvoor was geen tijd. De zaak... de zaak... de zaak. Henri besefte dat hij met die schuldgevoelens niet kon leven. Daarom, en ik neem aan dat het onbewust ging, is het beter voor mij dat te denken, heb ik hem de kans gegeven het naar mij toe te schuiven. Maar we hebben geen van beiden schuld. Ik liet, en laat, het nog over me heen komen. Maar niet zover dat ik de schuld van Boudewijns dood op me neem. Dan wordt mijn leven nog moeilijker. We hebben geen van beiden schuld aan zijn sterven. Het is beter elkaar te steunen als zo'n groot verdriet over je heen valt, maar Henri kan niet helpen.

Wat ik deze middag heb gehoord brengt een nieuw gegeven. Ik heb het meisje het huis uitgestuurd: misschien was zij Boudewijns grote liefde. Dat suggereert Henri nu. Ik zei het eerder, hij zal het mij verwijten.

Ik wil graag contact met je houden, Jurrien en ook met jou, Eveline, maar het is beter het niet te doen. Mijn man kan het niet aan en het is ook voor mij het beste jullie los te laten. Of,' er gleed een flauw lachje over haar gezicht, 'als dit grote nieuws goed tot hem is doorgedrongen en hij beseft dat wij een kleinzoon hebben en dat er een vrouw naast die kleinzoon staat, dat er kinderen zijn, misschien, wie weet, gaat hij er dan anders over denken.'

Meneer Van Berkel kwam de kamer weer binnen.

'Neem me niet kwalijk, het spijt me, maar ik kon het even niet aan. En nog is dit bericht niet echt tot me doorgedrongen. Maar dát begrijpen jullie. Ik vraag nu, het klinkt niet vriendelijk en het is niet gastvrij, maar ik vraag je weg te gaan. Mijn vrouw en ik moeten samen zijn om dit te verwerken.'

'Ik begrijp dat onze komst u overvalt. Ons overvalt het bericht dat mijn vader niet meer leeft.' Jurrien stond op. Eveline volgde zijn voorbeeld. 'Ik leg een kaartje met ons adres op de tafel.' Jurrien nam een kaartje uit de binnenzak van zijn colbert en legde het op de salontafel. 'U kunt ons bereiken als u dat wilt.'

Hij liep op Eveline toe, legde en hand op haar schouder en leidde haar naar mevrouw Van Berkel om als eerste van haar afscheid te nemen. Mevrouw Van Berkel zei niets, knikte alleen en had een stille glimlach voor hen. Meneer Van Berkel zei: 'Je hebt je vader verloren voor je hem hebt leren kennen, dat is triest. Voor je vader en voor jou.'

Ze liepen over het tuinpad en het zandpad naar de auto en stapten in. Jurrien reed heel langzaam weg. Ze keken naar het huis om, zo mogelijk een hand tot groet op te steken, maar er stond niemand achter het brede venster.

Het was rustig op de duinweg. Jurrien hield zijn handen om het stuur geklemd.

'Mijn hemel, wat een verschrikkelijke ontknoping! Boudewijn van Berkel is dood! Mijn echte vader is dood! Vijftien jaar al. Hij was nog geen veertig! Hij is niet gelukkig geweest. In de perioden waarin hij een vriendin had zal hij zich blij en vrolijk hebben gevoeld. Dat is toch normaal? Dromen over het leven dat op hem wachtte, fantaseren over een gezinnetje, met het meisje plannen maken, wandelen langs het strand, op zoek naar een geschikte woning om het geluk in te koesteren... Maar dan brak alles weer af. Tot driemaal toe! Jolanda, Charlotte, Annette... ik noem maar wat namen. De jongedames zeiden: "Boudewijn, je bent toch niet de man van mijn dromen." En hij was weer alleen. Hij zal na die tegenslagen teleurgesteld zijn geweest. Dat kan niet anders. Hij werd er medeloos van. En ging twijfelen aan zichzelf.' Jurrien draaide zijn hoofd en keek naar haar. 'Je zegt niets.'

'Jij bent aan het woord, liever. Ik val je niet in de reden. Je zoekt naar hoe het leven van Boudewijn waarschijnlijk is verlopen en ik kijk met je mee.'

Ze verlieten de strandweg. Linksom.

'Waarom braken de aanstaande verloofdes de vriendschap af? Er moet iets geweest zijn wat alle drie de meisjes het gevoel gaf niet met hem verder te kunnen.'

'Of,' opperde Eveline, 'speelde op welke manier danook zijn vader een rol. Na vanmiddag weten we dat hij na vijftien jaar nog heftig lijdt onder het verles van zijn zoon. Het voorbijgaan van de jaren heeft hem geen berusting gebracht. Misschien speelt zelfverwijt een rol. Mevrouw Van Berkel zei daar al iets over. Bijna zeker werkte Boudewijn ook in het modebedrijf en eiste vader meer dan de zoon aan inzet en ideeën kon geven.'

Jurrien knikte. 'Hier even goed opletten, dit is een nare hoek. Het is lastig op de drukke rijbaan te komen.'

Maar het lukte. Naar de brug, rechtsaf, het rustige Noord-Holland in. Op de weg langs een breed water zei Jurrien: 'Vanmiddag, in de bungalow, kwam even de gedachte in me op: Boudewijn van Berkel heeft zelf zijn leven beëindigd. Maar ik wilde daarover niet verder denken.'

Eveline zuchtte. 'Ik denk het nu, tijdens ons praten over vader en zoon.'

Na een uurtje rijden reden ze Voorberg binnen en kozen de straten richting Van Amerongenplein.

Jurrien parkeerde de auto, ze stapten uit. Moeder Martha opende de voordeur. Tonnie en Marthy kringelden om haar heen.

'Mama! Papa!' en Martha zei op een lichte toon: 'Hallo jongelui! De kinderen begroeten jullie alsof je vier weken weg bent geweest!'

De vraag die volgde: "Is alles goed gegaan?" hield ze bij het zien van de sombere gezichten.

'Kom binnen", nodigde ze.

Eveline nam Marthy op de arm, Tonnie hield Jurriens hand stevig vast en vertelde wat opa en hij die middag hadden gedaan.

In de kamer zat Betty. Ze zag de gezichten. Teleurgesteld, Betty dacht: een beetje verwrongen...

'Jullie kunnen mee-eten, ik heb op jullie gerekend. Het was tenslotte en lange rit, heen en weer naar de kust. Tonnie, Marthy, jullie moeten nu rustig zijn. Papa en mama zijn moe en ze willen ons iets vertellen. Straks zijn jullie weer aan de beurt.'

'Ja,' begon Jurrien, 'we willen, maar ik kan beter zeggen we "moeten" jullie iets vertellen. We hebben de ouders van Boudewijn van Berkel gevonden. Ze wonen in een mooie bungalow. Het huis staat verscholen in de duinen. Meneer Van Berkel liet ons binnen, nieuwsgierig naar wat wij wilden vertellen. Maar er was ook angst en verbazing in hem, omdat hij, vermoed ik, iets in mij herkende. Betty heeft me verteld dat ik niet "sprekend" op Boudewijn lijk, maar er zijn gelijkenissen tussen hem en mij. Mevrouw was aardig. Ik vertelde met welke vraag wij naar hen toe waren gekomen, namelijk om de woonplaats te horen van hun zoon Boudewijn. En waarom wilden wij dat adres weten? Omdat ik sinds kort op de hoogte ben van het feit... En dan het verhaal. Tijdens het noemen van de naam Boudewijn zagen we de gezichten versomberen, strakker en bleker worden. Ze lieten me uitpraten en toen vertelde mevrouw dat Boudewijn vijftien jaar geleden, hij was negenendertig jaar, is overleden.'

'Wat verschrikkelijk!', riep Betty, 'wat vreselijk! Voor meneer, die jongen was alles voor hem! Zijn zoon natuurlijk in de allereerste plaats, maar ook, heel belangrijk, zijn opvolger in de zaak! Een zakenman moet een opvolger hebben, dat verkondigde meneer meer dan eens. Het voortzetten van zijn werk was het doel! Een bedrijf opbouwen om weer te verkopen was je levenswerk aan het lot overlaten! Dergelijke dingen riep hij. En Boudewijn was zo intelligent, volgens pa, zo bij de hand. Na zijn studie kwam hij naar de zaak, naar Amsterdam en dan werkten ze samen! Voor mevrouw was Boudewijn in de allereerste plaats haar kind, haar zoon en Boudewijn was een lieve jongen... Hij is dood. Jurrien, je vader is dood.' Ze liep op hem toe, hij legde zijn armen om haar heen en hield haar tegen zich aan. Zij was zijn moeder. Ze huilde omdat zijn vader dood was; hij zou hem nooit leren kennen.

Jan Welkers was intussen naar de keuken gegaan. Hij zette koffie.

Toen de rust enigszins was teruggekeerd, maar gevoelens en gedachten zweefden rond en beïnvloedden de sfeer, vroeg Martha: 'Hoe is hij overleden? Na een ernstige ziekte, bij een ongeluk...'

Jurrien en Eveline maakten snel oogcontact. Het hield in: wij zeggen nog niet wat wij denken...

'Daarover hebben de Van Berkels niets gezegd. Wij zijn er niet lang gebleven. Meneer vroeg ons weg te gaan. Hij kon niet over de waarheid van het moment denken: de zoon van Boudewijn was in hun huis... Wij begrepen het van hem. De dood van Boudewijn was na vijftien jaar redelijk verwerkt. Maar onze komst, en vooral mijn komst, was te veel voor die man. Ze zullen vaak over hun zoon gepraat hebben, zijn naam genoemd, herinneringen opgehaald en daardoor kreeg verdriet een zachter tintje. Ze konden ermee leven. Dan komt opeens een jongeman die zegt dat hij de zoon van Boudewijn is! Meneer Van Berkel vroeg ons weg te gaan. Mevrouw stelde voor over enige tijd, als alles een beetje verwerkt was, weer contact op te nemen, maar daarvan wilde hij niet weten.'

Eveline voegde aan Jurriens woorden toe: 'Het had voor ons geen zin langer te blijven. We zullen Boudewijn Van Berkel niet vinden. En over hem praten met zijn ouders was vanmiddag onmogelijk. We zaten als vier mensen beduusd bij elkaar, alle vier de weg kwijt... We sluiten het voorlopig af. We hebben Betty gevonden,' ze lachte naar Betty, 'en we zijn heel blij haar bij ons te hebben.'

12

Twee weken later, een dinsdagavond, rinkelde de telefoon bij Jurrien en Eveline.

Jurrien nam op. Nadat hij zijn naam had genoemd zei een zachte vrouwenstem: 'Met Tine van Berkel. Jurrien, Henri is met een buurman naar Den Helder. Een medewerker van Rijkswaterstaat houdt een lezing over het onderhoud van het duingebied. Voor mij de kans jullie te vertellen over hoe het hier nu gaat. Er zijn twee weken voorbij gegaan nadat Eveline en jij hier waren. Je begrijpt dat wat je toen vertelde, ons heeft verbaasd en verwonderd. Opeens ontsloot het verleden zich en kwam iets van Boudewijn terug. Zo voelden wij het. Je hebt gezien hoe het mij aangreep en hoe Henri van slag was.' Jurrien antwoordde alleen: 'Ja.' Hij zag in gedachten de huiskamer in de bungalow voor zich. Mevrouw Van Berkel zat aan de kleine tafel waarop die middag – en dat zou elke dag zo zijn – de telefoon stond. Ze hield de hoorn aan haar oor. Voor haar lag een papier waarop geschreven stond wat ze wilde zeggen. Ze had het met zorg opgeschreven. Ze las de woorden voor. Hij maakte het op uit haar monotone stem, de keus van de woorden kwam niet spontaan over haar lippen. Jurrien had er begrip voor, hij kende haar nervositeit.

'De eerste dagen en nachten hebben we jullie bezoek volkomen stilgezwegen. Dat was voor allebei het beste. Ik overdacht de betekenis van wat je gezegd hebt. Het weten dat Boudewijn geslachtsgemeenschap met Betty heeft gehad. Ik kan me dat eigenlijk niet voorstellen. Boudewijn was nog een jongen. Ik heb eruit geleerd dat je zelfs als moeder niet weet waaraan je kind denkt en waarnaar het verlangt. Ik ben ervan overtuigd dat Betty het niet heeft uitgelokt. Daarvoor was zij nog teveel kind. En meisjes uit haar kringen hoorden vroeg in hun leven over de gevaren die hen bedreigden als jongens en mannen op hun pad kwamen. Die meisjes werden vaak bang gemaakt voor wat later, in hun trouwen, het fundament moest zijn waarop het huwelijk werd gebouwd. En dat is terecht. Goede seks brengt,' ze lachte even, 'niet alleen in de avond, maar ook in de dingen van de dag man en vrouw bij elkaar. Moeders als Betty's moeder waarschuwden hun jongedochters voor de gevolgen die de liefde kan brengen. Maar ondanks dat gebeurde het tussen Boudewijn en Betty. Ze is meegesleept door de avances van Boudewijn en ik heb haar de deur uitgestuurd. Het had tot een huwelijk tussen hen moeten komen. Maar ik weet dat dat veel nare woorden, boosheid en tegenstand van Henri had opgeleverd. Omdat Henri een intelligente vrouw naast Boudewijn wilde. Een vrouw die begrip had voor de moeilijkheden die de eigenaar van een groot bedrijf op zijn pad vindt. Ik zou het in die tijd, ik beken het, met hem eens zijn geweest. Maar ik ben er ook van overtuigd dat het weten van een kind van hen samen het zwaarst gewogen zou hebben. Nu vraag ik me af of de liefde, die Boudewijn waarschijnlijk voor het blonde meisje heeft gevoeld, belangrijker voor hem was dan intelligente adviezen. Boudewijn verlangde naar liefde.'

Jurrien luisterde. Heel kort maakten zijn gedachten een zijsprongetje; er lag een lang, volgeschreven papier voor haar... Ze had zich voorgenomen met hem te praten. Ze wilde hem vertellen over het leven van nu tussen Henri en haar.

'Henri zag in Boudewijn toen de jongen groter werd vooral de zoon, die naast hem ging werken in het bedrijf en het later zou overnemen. Boudewijn had een goed verstand. Hij rondde zijn studie bedrijfsinrichting en economie in de daarvoor gestelde tijd af. Maar het werken in het bedrijf viel hem tegen. Er waren regelmatig strubbelingen tussen vader en zoon en ook tussen andere medewerkers onderling. Hij vond dat heel naar. Geharrewar, hatelijke opmerkingen, jaloezie en treiterijen;. Het kwam, wist hij, de sfeer in het bedrijf niet ten goede. Boudewijn kon de administratieve kant en de hoofdleiding goed volgen. Daarover had hij in zijn studietijd veel geleerd. Maar nieuwe ideeën inbrengen, vooruitzien welke lijn de mode ging volgen, helaas, daarvoor had hij geen feeling.

Hij heeft onder grote spanning geleefd. Toen zijn eerste vriendin hem in de steek liet was hij heel verdrietig. Toen het tweede meisje, Yvette, zei niet verder met hem te willen, was hij kapot van teleurstelling. En, ik heb zaterdagmiddag al verteld, het gebeurde voor de derde maal. Alle drie de jongedames waren min of meer door Henri op zijn pad gebracht. Zelfbewuste, gestudeerde meisjes die wisten wat ze wilden. Wel aan de zijde van de toekomstige directeur van het modehuis willen staan, maar in Boudewijn een te slappe figuur zien. Zo ongeveer heb ik het beeld voor mezelf ingevuld. Henri raakte, langzaamaan, teleurgesteld in Boudewijn.'

Er volgde een stilte, toen praatte Tine van Berkel verder: 'Henri en ik hebben na de drie rustdagen echt met elkaar gepraat. Je begrijpt wat ik daarmee bedoel. Henri heeft na de dood van Boudewijn nog enkele jaren geprobeerd het bedrijf voort te zetten, maar het lukte niet. Na de verkoop en de verhuizing naar de kust, leefden we eerst los van elkaar. Wel onder één dak, maar elk met de eigen gedachten en gevoelens. En beiden waakzaam de naam Boudewijn niet uit te spreken. In het begin was het een krampachtig leven, maar het wende. Het leek naar buiten toe goed met ons te gaan. Samen aan tafel, samen aan de koffie, met elkaar, en de hond, wandelen over het strand. Henri had ook het gevoel dat het goed ging, maar het was wegstoppen, proberen te vergeten en dat lukte de eerste jaren niet echt. Op die manier verwerk je geen verdriet. Maar de jaren, die voorbij gingen, maakten de pijn minder. We konden weer naar feiten en voorvallen uit het verleden kijken. Niet dat we afstand van Boudewijns dood hadden genomen, nee, hij zal in gedachten altijd om ons heen zijn. Maar we waren in staat de werkelijkheid te zien. Wat het leven hem had gebracht, hoe hij ermee omging en wat het leven ons na de klap, aandeed. Boudewijn kon niet omgaan met zijn tegenslagen. Hij werd depressief, hij werd ziek en hij heeft niet gevochten om beter te worden.'

Het bleef na deze woorden stil aan de andere kant van de lijn. Jurrien wist ook niet wat te zeggen. Zijn vader had dus niet zelf zijn leven beëindigd, maar het moe en teleurgesteld verlaten. Als hij had gevochten, toch een plekje had gevonden en nu hoorde dat hij, de zoon van Betty en hem, hem zocht... En hoe zou hij ontvangen worden door de mensen die rond zijn zoon stonden? Maar Boudewijn kon en wilde niet vechten.

'Je begrijpt uit mijn woorden wat ik moet vertellen. Het is niet mogelijk dat Henri en ik contact met jullie houden. Henri wil het niet. Ik wil je voor we afscheid nemen toch één en ander vertellen, zodat je weet hoe het is gegaan. Ik wil ook zeggen dat in mij in de voorbije weken het weten is gegroeid dat je de zoon van Boudewijn bent. De stem, de woordkeuze, je houding. Het was aanvankelijk moeilijk dat tot me te nemen, maar nu het me eigen is geworden doet het me goed. Als Boudewijn was blijven leven en dit had mogen weten, jongen, hij zou zo blij met je geweest zijn! Een zoon, hij had een zoon! Een grotere verrassing kon het leven hem niet brengen! Maar het heeft niet zo mogen zijn.

Ik moet mijn verdere leven delen met Henri. Ik moet hem steunen. En Henri weet er niet mee te kunnen leven als jij, Eveline en de kinderen ons leven binnenkomen. Boudewijn is dood, weg van de aarde. Henri wil leven met de herinneringen aan onze jongen. Dit heeft hij zich eigen gemaakt, er moet geen verandering in komen. Herinneringen zijn stille beelden. Henri heeft ze. Hij kan ze naar zich toehalen en ze weer wegschuiven. Als we jou in ons leven binnen laten wordt er gepraat over wat voorbij is, over hoe het en het waarom. Jij wilt zoveel mogelijk van je vader weten en juist dat kan Henri niet opbrengen.'

Tine van Berkel was even stil, toen zei ze: 'Ik heb je lang aan de lijn gehouden, maar ik wilde je dit zeggen. We nemen nu afscheid; vanuit ons huis is geen andere mogelijkheid.'

'Ik kan er weinig op zeggen. Ik kan de gevoelens en gedachten van uw man niet begrijpen, maar het zal zijn zoals u het zegt. Ik wil nog wel zeggen: als u ons wilt bellen zullen we blij zijn met het contact.'

Na nog enkele woorden als "doe mijn groeten aan Eveline" en " we zien wat de toekomst brengt, onze God zorgt voor jullie en voor ons", namen ze, zonder elkaar te zien, alleen de stemmen horen, afscheid.

Jurrien bleef even met de hoorn in de hand zitten. Het 'tuut-tuut' verstond hij als 'afgebroken-afgebroken'. Zijn oma, zijn echte oma, de moeder van zijn biologische vader...

Eveline was gedurende het gesprek stil op de bank blijven zitten. Ze kon de woorden van mevrouw van Berkel niet horen, maar ze zag de emotie op Jurriens gezicht.

Hij kwam langzaam naar haar toe.

'Het is voor de twee in de bungalow tot een compleet drama geworden. Ik heb er spijt van dat we naar Grote Keeten zijn gegaan om hen te ontmoeten.'

'Wij wisten niet dat Boudewijn dood was.'

'Nee, dat wisten wij niet. Zijn sterven was voor de ouders een groot verlies. Nu komen voor allebei de gebeurtenissen, die toen speelden, weer boven en daaruit worden conclusies getrokken. Zoals de meisjes, die Henri op het pad van zijn zoon schoof. Dochters van zakenrelaties of bekenden van hem. Boudewijn was een leuke vent, dat heeft Betty verteld, zij viel ook voor zijn charmes, maar eigenlijk waren de meisjes die vader Henri koos, niet echt de types waar Boudewijn voor viel. En dat tot drie maal toe; papa van Berkel was wel een volhouder!'

'Hij dacht niet verder dan zijn eigen belangen. Een vrouw voor zijn zoon, een schoondochter die veel kon betekenen voor het bedrijf.'

'En ook nu houdt Henri van Berkel geen rekening met de enige mens die om hem heen is. Ik hoorde tussen alle woorden door dat mevrouw de omgang met ons wel ziet zitten. In het begin zal het vreemd en moeilijk zijn, het aanvaarden van de achtergrond, maar na verloop van tijd, ja, dan was het waarschijnlijk fijn met de zoon van Boudewijn...' Jurrien zweeg even. 'Die woorden vormen het probleem. Opeens is een zoon van Boudewijn in hun leven. Ik kan me voorstellen dat dat een moeilijk begrip is. Je hebt je zoon begraven, het is voorbij en dan, op een middag...'

'Ja, dat zal moeilijk zijn.'

'Ik heb medelijden met mevrouw van Berkel. Zij wil het anders, maar haar man verbiedt het haar. Daar komt het toch gewoon op neer.'

'Misschien kan die man niet anders reageren. Wij zien hem nu als, zeg het maar eerlijk, een niet echt sympathiek figuur, maar wij weten niet hoe moeilijk hij het met de hele situatie heeft.'

Jurrien lachte naar haar. 'Zo is het ook. We moeten begrip voor hem hebben, maar het valt me moeilijk.'

Drie maanden gingen voorbij. Jurrien en Eveline praatten dikwijls over Boudewijn en zijn ouders. In de gesprekken met de familieleden probeerden ze er zoveel mogelijk het zwijgen toe te doen.

Betty Blokker was naar Voorberg gekomen. Ze had een bezoek gebracht aan het woningbureau en ze stond ingeschreven voor een kleine eengezinswoning. Ze woonde nu bij Anton. De prachtige slaapkamer van Marit was tot haar woonkamer ingericht, de vroegere slaapkamer van Anton en Marije werd haar slaapkamer. Betty voelde zich heerlijk, dicht bij Jurrien en zijn gezin en in de buurt van haar moeder. Hoewel de bezoeken aan haar, verdrietig maakten. Zo'n felle vrouw, altijd haar woordje klaar en nu stilletjes knikkend in een stoel in het tehuis.

Tussen Martha en haar was een goed contact. "Je denkt toch niet dat er iets tussen Anton en mij is," had ze gevraagd. En het antwoord was: "Nee, dat denk ik niet. Het is kort geleden dat Marije is overleden. Maar, Betty, we moeten het ook nuchter zien. Hoe langer Anton alleen in zijn huis is, hoe eenzamer en verdrietiger hij wordt. Het leven is voor hem niet prettig. Hij werkt nog, 'gelukkig,' zegt hij daarover. Hij staat in de maatschappij, hij is tussen de mensen, maar als hij thuiskomt moet hij voor zijn maaltijd zorgen en hij is de lange avonden alleen. In de weekenden hoopt hij op bezoek van Jurrien en Eveline en zij komen ook dikwijls. Net als Joris en Marit.

Jan en ik zoeken hem op, meestal op donderdagavond. Maar los daarvan is hij alleen. Het verdriet om Marije brengt daar geen troost in. Dat blijft, het laat hem niet los. Als jij bij hem woont is hij niet langer eenzaam in het stille huis en ik neem aan dat jij regelmatig een praatje met hem maakt en dat Anton af en toe bij de trap 'koffie' roept."

"Ja. Jurrien heeft tegen me gezegd, we waren samen: Ik mis mijn mama Marije, maar het is goed te weten dat een moeder van mij bij mijn vader is."

Op een avond belde mevrouw van Berkel. Eveline nam op.
'Met mevrouw van Berkel. Ik weet niet hoe ik me anders moet aankondigen, kind. Is Jurrien thuis? Ik wil met hem praten.'
'Helaas, nee, Jurrien is er niet.'
'Dan vertel ik jou één en ander. Als je tijd hebt om naar me te luisteren. Met het oog op de kinderen.'
'Het is half negen. Ze zijn nog klein, ze liggen in hun bedjes.'
'Ik neem aan, meisje, dat Jurrien en jij hebben gepraat over alles wat de laatste tijd is gebeurd.'
'Ja. Het is vaak onderwerp van gesprek en vooral voor Jurrien is het bijzonder belangrijk.'
'Weet je, Eveline, ik heb sinds ik met Henri getrouwd ben de instelling dat ik hem wil helpen. Ik heb jarenlang in het bedrijf gewerkt, ik was zijn rechterhand, een meer dan goede secretaresse. Het beviel me goed, ik werkte met plezier en Henri was blij met me. Omdat ik privé en aan de zaak alles voor hem deed. In de kinderjaren van Boudewijn waren er geen moeilijkheden. Het was een leuk joch, geen geharrewar met andere kinderen, ook niet met een juf of een meester. Zijn studententijd verliep ook goed. We vormden een prettig gezin. De moeilijkheden begonnen toen Boudewijn in het bedrijf ging werken. Hij vond het niet echt prettig, het lag hem niet en Henri was in hem teleurgesteld. Daarna de vriendschappen met achtereenvolgens Irene, Yvette en Ellen. Je weet hoe het is afge-

lopen. Hij werd lustelozer, kreeg depressieve buien en wilde na verloop van tijd niet verder leven. En weer moest ik de sterke vrouw naast Henri zijn, hoewel ook mijn hart huilde om het verdriet rond onze jongen. Dat gevoel was er ook bij jullie komst. Naast Henri staan, hem helpen hier doorheen te komen. De overval, zoals Henri het heeft genoemd, naar achteren dringen. Henri nam het besluit dat geen contact houden met jullie het beste was. Hij kon het contact met de jongen die een zoon van Boudewijn was, niet aan. Ik had daar aanvankelijk begrip voor, maar na denken en nog eens denken, ben ik nu zover dat voor mij speelt: het is toch mooi dat een kind, dat Boudewijn heeft verwekt, een zoon van hem, in ons leven op te nemen?

Ik heb spijt van mijn besluit Henri te volgen. Ik ben vierenzeventig jaar, een oude dame, maar mijn gezondheid is goed. Twee pilletjes per dag, één voor "dit" en één voor "dat",' ze zei het lachend, 'de achterliggende spanningen hebben toch één en ander teweeg gebracht. Ik zeg het jou, Eveline, langzaam groeit in me het besef dat er mensen op de wereld zijn waarmee ik in familieverband wil leven. Mijn zoon is dood, maar zijn zoon, mijn kleinzoon, is in ons huis geweest. Ik heb hem gezien, ik heb zijn stem gehoord. Ik heb in stilte zijn naam genoemd. Jurrien, Jurrien en later, als Henri in de tuin was of de hond uitliet, noemde ik de naam hardop. In de kamer, in de slaapkamer: Jurrien, Jurrien. De naam kreeg een warme klank, werd me vertrouwd. Ik heb jou ontmoet, de vrouw waarvan Jurrien houdt en ik besef: ik heb Jurrien en zijn gezin losgelaten, maar dat wil ik niet! Ik wil jullie bij me houden, de kinderen van mijn jongen, zo is het toch? Maar ik liet los omwille van Henri, omdat hij het wilde. Ik deed het, zo weet ik nu, voor Henri. Maar Henri dacht weinig aan mij. Hij wordt steeds stiller. Hij vertelt niets meer en dat begrijp ik. Hij beleeft niets waarover iets te zeggen valt. Ik vraag mezelf af of het goed is wat ik doe. Zoveel, want jullie zijn heel veel, loslaten om Henri zijn zin te geven. Maar ondanks dat is hij nukkig en stil en ontevreden.'

'Mevrouw van Berkel, ik begrijp dat u dit alles aan mij vertelt omdat het denken hierover voor u een belangrijk pakket is geworden. Ik had liever dat u het aan Jurrien had voorgelegd, maar ik ben toch blij dat u mij in vertrouwen wilde nemen. En ik voel in welke moeilijke situatie u terecht bent gekomen. Uw hart wil uw man helpen, u wilt naast hem blijven staan, maar er is veel in uw leven wat belangrijk voor u is. En wat u niet wilt laten ontglippen.' Eveline voelde dat ze zacht trilde over haar hele lichaam. Dit gesprek met deze vrouw over een zo moeilijk onderwerp en opeens, na de woorden die ze had uitgesproken, opeens het denken en zeggen: 'Maar ook voor uw man is het mogelijk het beste Jurrien en ons zijn leven binnen te laten.'

'Ja, meisje, ja... dat denk ik ook. Lieve Eveline, ik overval je met dit gepraat, ik weet het, maar ik zit er zo mee. Het tolt in mijn hoofd. Ik weet niet wat ik moet doen.'

'De beste oplossing is er met Jurrien over te praten. Kunt u een avond of een middag ergens heen gaan? Een zangavond in Den Helder, een lezing in Schagen?'

'Ja, dat is mogelijk.' Mevrouw van Berkel lachte. 'Naar de avondjes die je opnoemt gaat Henri beslist niet mee. Ik rij zelf nog auto, je weet waar we wonen, zonder vervoer krijg je weinig aan etenswaren in huis.'

'Dat geloof ik ook. Ik heb een voorstel. Ik praat hierover met Jurrien zodra hij thuiskomt. Jurrien zal een plaats zoeken waar jullie elkaar kunnen ontmoeten. Want, dat wil ik zeggen om uw gevoelens tegenover hem te verstevigen, Jurrien is zich ervan bewust dat u zijn oma bent!

Uw huis en ons huis staan ver van elkaar af, maar met elk in een auto moeten jullie elkaar kunnen tegenkomen.'

'Ik ben blij dat je me zo goed begrijpt.'

'En ik ben blij dat u ons, en vooral Jurrien, niet wilt loslaten. Maar hebt u erover nagedacht wat de gevolgen kunnen zijn als uw man van uw plannen hoort?'

'Ik denk daar niet over, want dan ga ik weifelen. Als ik geen problemen wil moet ik deze stap niet zetten. Maar dan laat ik jullie uit mijn leven gaan en steeds meer dringt tot me door dat Jurrien mijn kleinzoon is, hoor je het woord, mijn kleinzoon. Ik bel naar jullie huis, Eveline, morgen, vroeg in de avond, rond half acht, als Henri met Max een rondje loopt. Stukje door het duin, stukje in de berm langs de rijweg.'

Jurrien kwam thuis.

'Dag meisje van me, een fijne rustige avond gehad?'

'Nee, dat niet.'

'Hoezo?' Hij trok zijn jack uit en liep naar de gang om hem aan de kapstok te hangen.

'Mevrouw van Berkel belde. Ze wilde met jou praten, jij was er niet en ze vertelde mij wat haar bezighoudt.'

Jurrien ging zitten, trok zijn schoenen uit en keek haar nieuwsgierig aan.

Eveline vertelde.

Toen ze alles gezegd had knikte hij. 'Dat is inderdaad iets wat haar bezig zal houden. Het kan, als ze doorzet, op een scheiding tussen die twee uitlopen! Dat is nogal wat! Voor zover ik Henri in die korte tijd heb leren kennen, blijft hij, nu hij nee heeft gezegd, bij zijn besluit. Zo'n kerel is het. Een man een man, een woord een woord.' Jurrien schudde zijn hoofd. 'Het kan nog wat worden. Jij hebt afgesproken dat ik met haar ga praten. Weet je dat ik haar stilletjes omaatje Tine noem? Ik wil met haar praten. Maar wat is in dit een goed advies? Op die leeftijd een huwelijk op de klippen laten lopen of een kleinzoon en zijn gezin je leven binnen laten. Er moet een ontmoetingsplaats afgesproken worden voor mijn oma en mij, die voor haar gemakkelijk te bereiken is. Schagen is een goed idee. Voor mij een aardig ritje, maar ik heb het er graag voor over. Hotelrestaurant "De Marktplaats" is een mooie plek. Ik zeg het haar als ze morgenavond belt.'

Op de afgesproken avond zorgde Jurrien ervoor vroeg in het restaurant te zijn. Hij zocht een tafel bij het raam zodat hij haar zag aankomen. Haar auto reed de parkeerplaats op, Tine van Berkel stapte uit.

Tegenover elkaar aan de tafel begon ze: 'Ik verwachtte rustig een avond te kunnen ontsnappen, maar Henri zag dat ik nerveus was. Hij vroeg waarover ik nadacht en ik heb het hem verteld. Hij was woedend en dat is eigenlijk te zwak uitgedrukt. Hij riep: "Je weet dat ik het niet wil, we kennen die jongen niet. Hij is niet in onze kringen opgegroeid. Het is voor mij een onbekende knaap die ons leven wil binnendringen! Weet je wat er achter zit? Nee, daar denk jij niet over na. Hij denkt, en terecht, dat wij een paar leuke bankrekeningen hebben en als hij zich als kleinzoon aan ons opdringt, een paar lieve kindertjes naar voren schuiven, dag opa, dag oma, ik zie de vertoning al voor me, maar ik voel er niets voor. Ik wil het niet. Hoor je, ik het niet." Het ging er heftig aan toe. Ik begrijp niet dat Henri dit alles erbij haalde. Maar hij denkt altijd aan geld. Als hem iets gevraagd wordt is zijn eerste reactie: wat kost me dat? Ik probeerde uit te leggen dat ik de binding met jou steeds meer ging voelen, maar Henri is dan gelijk een koppige ezel, hij wil niet luisteren.'

'Wordt het niet moeilijk uw plannen uit te voeren?'

Ze legde haar handen voor zich op de tafel. 'Jurrien, ik heb sinds de dag waarop ik Henri ontmoette veel gedaan om het hem naar de zin te maken. Omdat ik wilde dat hij het naar zijn zin had in het leven. Dat weten vond ik fijn, want het maakte dat ik me ook prettig voelde. Maar het was beslist niet zo dat ik slaafs achter hem aan liep, zo'n doetje was ik niet en dat ben ik nog niet. Maar ondanks al het werk wat ik in het bedrijf gedaan heb, was er weinig echte waardering. Henri zag het simpel. Getrouwd, een bedrijf, er allebei in werken. In onze zorgen om Boudewijn is er een hevig conflict geweest. We konden het allebei niet verwerken. Onze jongen was niet echt ziek. Hij had geen kanker, ook geen andere ernstige aandoeningen. Nee, de omstandigheden in het leven maakten hem kapot. Het is verdrietig voor ouders dat te zien gebeuren en niets te kunnen doen. Henri verweet mij dat ik in zijn kinderjaren niet genoeg aandacht aan de jongen had gegeven. Het waren woorden die hij in onmacht uitsprak, dat begreep ik. Maar er niet op antwoorden betekende voor hem dat ik hem gelijk gaf. En dat was beslist niet zo. Dus verdedigde ik me. Een vrouw die haar man in zijn bedrijf hielp, want het was voor zijn gevoel zijn bedrijf, heeft minder tijd voor haar kind dan een moeder die hem na schooltijd met de bekende thee en een koekje opvangt en vraagt hoe het die dag is gegaan.

Er zijn toen harde woorden gevallen. Henri heeft ook nooit gezegd dat hij spijt had van wat hij mij heeft verweten. Het woord "spijt" kan hij niet over zijn lippen brengen. Maar hij voelde het wel zo. Dat begreep ik uit zijn gedrag.

We zijn nu vijftien jaren verder. De tijd heeft de ergste pijnen verzwakt. We moeten kijken naar de mogelijkheden die er voor ons waren. Een rustig leven dichtbij het strand en de zee leek de oplossing. En het lukte redelijk. Maar opeens ligt alles anders! De kans dat een zoon, een kind van Boudewijn in mijn leven komt en graag in mijn leven wil zijn... dat is toch zo?', twee grijze ogen achter brillenglazen keken hem aan. Hij knikte en zei: 'Graag zelfs.'

En Tine van Berkel praatte verder: 'Die kans laat ik niet voorbij gaan.'

'Ik wil het ook graag. Door praten over Boudewijn zal hij steeds dichterbij me komen. Ik moet karaktertrekken van hem hebben, maar die zijn tot nu toe niet ontdekt, omdat er niemand was die ze herkende. Een lieve jongen, een goede jongen... Maar wellicht komt het nu.'

Na even zwijgen zei hij: 'Ik zie Betty regelmatig. Zij vertelt me over haar leven. Dat is, door het gebeurde, niet echt prettig geweest. Ver van huis en eenzaam.'

Tine legde een hand op zijn hand. Ze zei niets.

Jurrien vroeg: 'Als u volhoudt, wat gaat er dan in de bungalow gebeuren?'

'Ik weet niet hoe het zich zal ontwikkelen, maar ik vrees dat het heftig gaat worden. Henri kan zich blaffend en bulderend opstellen, maar als hij denkt met een tegenovergestelde aanpak meer te bereiken gooit hij het zo op de zielige boeg. Niet begrepen en in de steek gelaten. Ik ken hem zo goed... Hij kijkt naar wat gebeurt met andere ogen dan ik. En, dat speelt voor mij ook een belangrijke rol, ik ben ervan overtuigd dat, als Boudewijn zou weten wat de voorbije tijd gebeurd is, hij wil dat jij en ik bij elkaar komen. Ik voel dat ik door jou en je gezin een stukje van het leven van mijn jongen terugkrijg.' Ze zuchtte. 'Ik wil jou, Eveline en de kinderen in jullie huis opzoeken. Zolang het leven in ons huis dragelijk is zal ik er blijven. Als dat niet langer het geval is zoek ik een andere plek om te wonen. Henri weet dat ik jou vanavond ontmoet. Dat heb ik hem vanmiddag verteld. Tussen de thee en de koffie. Kwart voor drie thee, half vijf koffie. Een stortvloed van boze woorden kwam over me heen. Tot hij zweeg en vanaf dat moment heeft hij niets meer gezegd. Ik ben op tijd naar de garage gegaan om naar Schagen te rijden.'
'Het is toch een heel nare situatie.'
'Ja. Maar mijn besluit staat vast.'
Het gesprek duurde nog geruime tijd.
Ze namen afscheid met wat Tine van Berkel "de tweede stap" noemde. 'Ik kom zondagmiddag naar Voorberg. Ik breng Henri ervan op de hoogte. Ik probeer dat rustig te doen. Ik verheug me erop de kinderen te zien. Ik neem voor elk een pakje mee en jullie mogen me niet verbieden ze even te verwennen. De eerste cadeautjes van oma van Berkel.'
Ze liepen naar de auto's. Even de handen vasthouden. Toen stapte Tine in en reed weg. Jurrien keek de wagen na totdat hij de rijweg was opgedraaid. Hij stapte in zijn wagen en reed weg. Hij begreep dat Tine dit besluit had genomen. Maar hoe liep dit af?

Die zondagmiddag kwam Tine. Tonnie keek haar vol belangstelling aan. Wie was deze mevrouw? Mama had niet gezegd dat het een tante was en tantes hadden altijd een naam. Tante Marit, tante Erna... Het kon ook oma zijn. Oma's waren soms zonder naam. Maar ze was aardig. Ze had een grote doos voor hem meegebracht waarin een kasteel zat en ridders. Het kasteel moest nog gebouwd worden van de vele Lego-steentjes die in de doos zaten. De riddertjes waren al klaar. Mooie pakjes aan en helmen op de hoofdjes. Voor Marthy was er een prachtige pop, verpakt in een doos in kleurig papier. Ze scheurde het papier er af en was blij met dit poppenkind. 'Tonnie lijkt op Boudewijn in zijn kleuterjaren. Vriendelijk, open, absoluut geen afwachtende houding. In Marthy zie ik niet echt herkenning.'

'Zij lijkt op mijn familie, een echte Welkers.'

De bezoeken van Tine herhaalden zich. Ook afspraken in speeltuinen, leuk voor de kleintjes, en daarna een etentje.

Tine en Betty ontmoetten elkaar. 'Betty,' riep Tine van Berkel, 'jong, blond meisje van toen! Je bent nu een volwassen vrouw. Waarom heeft alles zo moeten lopen? Jouw leven is er totaal door beïnvloed.'

'Ja. Te jong, te onervaren, geschrokken van wat gebeurd was en heimwee naar Wansum. Mijn gedachten waren daar zo dikwijls. In het huis van mijn moeder, in de kamer van Anton en Marie, zo heette ze toen nog voor mij. In die kamer stond de wieg van mijn kleine jongetje. Ik heb me die eerste jaren vreselijk alleen gevoeld. Maar ik moest flink zijn en geen medelijden met mezelf hebben. Ik was dom geweest. Maar Boudewijn was zo aardig en zo lief en hij zei dat hij van me hield. Dat had nog nooit iemand tegen me gezegd.'

'Je zit ergens op te broeden,' stelde Eveline vast, 'heb ik gelijk?'

'Ja. Je hebt gelijk. Maar het is een vreemd en zot plan.'

'Vertel het me toch maar.'

'Je weet de avond in het huis van jouw ouders. Je moeder had een groepje mensen gevraagd te komen omdat ze hen iets moest vertellen. Ik wil in ons huis diezelfde mensen uitnodigen. Ze spelen een rol in mijn leven. Vader Anton, die zo graag vader wilde worden, maar daar zelf niet voor kon zorgen. Dat was verdrietig voor Marije en voor hem. Hij droeg me kort na mijn geboorte naar zijn huis om met Marije voor me te zorgen. Ze hebben het goed en met liefde gedaan. Mijn zusje Marit. Ik ken nu het geheim achter Marit.' Hij keek Eveline aan, wachtte op haar vraag, maar ze antwoordde: 'Ik wist het eerder. Marit heeft het mij verteld.'

'Ze was verliefd op me. Ik zag haar alleen als mijn zus. En Joris, mijn vriend, hij is mijn zwager. Ik heb een ruime plek in mijn hart voor Joris. Moeder Martha, die alles van mijn leven wist, maar zweeg tot die avond. Vader Jan, hij staat altijd voor ons klaar om raad te geven en te helpen. Jouw broer Hans en zijn vrouw Erna; ze volgden de gebeurtenissen vanaf een afstand. En sinds korte tijd Betty. Betty Blokker, mijn biologische moeder. En Tine van Berkel. Ik wil haar er graag bij hebben. En ik weet zeker dat ze komt. Bij onze laatste ontmoeting vertelde ze dat de toestand in de bungalow meer en meer gespannen wordt. Henri verwachtte niet dat ze de bezoeken aan ons zou volhouden, maar dat gebeurde wel. Het is een tegenvaller voor hem. Als hij haar bij zich wil houden moet hij een andere houding aannemen. Maar dat is moeilijk waar te maken. Tine vertrekt om de twee, drie weken om ons te ontmoeten. Hij blijft alleen in het huis. Boos, vol wrok. Het is moeilijk de tussenliggende dagen genoeglijk als man en vrouw met elkaar om te gaan. Wanneer halen we de boodschappen? Loop je mee naar het strand, het is windkracht zes, de zee buldert... Het lijkt me onmogelijk. Ik zie Tine binnenkort uit Grote Keeten vertrekken.'

Eveline knikte. 'Ik wil terug naar jouw contactmiddag of -avond.'

'Eigenlijk draaide de vertelavond van je moeder' om mij. Verwekt baby'tje door de ene familie weggeschoven, door de andere familie binnengehaald. Nu wil ik die mensen vertellen hoe gelukkig ik met ze ben. Vooral met jou en onze kinderen natuurlijk, maar ook met hen. Ik houd van ze. Dat wil ik ze zeggen aan het einde van een avond genoeglijk bij elkaar zijn. Praten, lachen, eten en drinken. Bij het afscheid zeg ik het ze. Ik zal er mooie woorden voor bedenken, maar het kan nog even duren voor ik die op papier heb staan. Ik ben geen dichter, maar het komt wel goed. Jij mag zeggen of ik ermee kan komen...'

De avond was daar.
Eveline had geteld hoeveel mensen verwacht werden. Ze schoof de stoelen rond de twee lage tafels.
Haar ouders kwamen als eersten 'achterom' het huis binnen. Daarna Anton en Betty, Hans en Erna. Joris en Marit belden aan de voordeur. 'Een bijzondere avond, daar hoort een officieel binnenkomen bij. Het wordt een bijzondere avond door zijn "gewoon-zijn", Joris zei het lachend, 'maar ik vind het een mooi idee van Jurrien.'
De bel klingelde nog een keer.
'Dat zal Tine zijn.' Jurrien liep haastig naar de gang.
Hij trok de deur open. Voor hem stonden Tine en Henri.
'Jongen, ik ben veranderd. Tine praatte steeds weer en steeds weer over jou. Ik wilde niet naar haar luisteren, maar ik moest wel, ik ben niet doof. Langzaamaan ging ik geloven in wat ze vertelde. Het is zoals het is, jij bent de zoon van mijn zoon. Ik mag dat niet ontkennen. En Tine praatte: als Boudewijn dit weet en wie weet wat hij de in de hemel opvangt, doet het hem pijn dat jij – ik dus – niets van het kind van hem wil weten. Ik had veel woorden voor dit moment in gedachten. Ik had ze ingestudeerd, zo wilde ik het zeggen, maar nu ik hier sta zijn al die woorden weggevlogen. Ik ben niet uitgenodigd...'
Jurrien viel hem in de reden: 'Maar u bent van harte welkom.'
Achter de twee liep hij naar de kamer. Stilletjes van binnen de gedachten: de mensen om me heen... Ook Henri, de vader van mijn vader.